«Ver lo que Dios ha hecho en la vida de otra persona quizá sea la inspiración que necesites. Estas valerosas historias de chicas que se distinguen por su carácter, pasión y destino llamarán la Ester en ti, para un momento como este. ¡Qué manera de enseñar la misión, Lisa!»

NICOLE C. MULLEN,
CUATRO VECES GANADORA DEL PREMIO DOVE
CANTANTE / COMPOSITORA

«Este fantástico libro me recuerda que mi destino no lo determina la apariencia física, ni por estar al tanto de la moda, ni por un círculo de amigos. Mi valor solo se encuentra en la identidad llena de propósito del insondable amor de Cristo».

JOY WILLIAMS,
TRES VECES CANDIDATA AL PREMIO DOVE,
PREMIO A LA MEJOR REVELACIÓN ARTÍSTICA,
CCM READER'S AWARDS 2002

«¡Me encanta este libro! Nunca es demasiado temprano ni demasiado tarde para ser parte de la Generación Ester. Solo hace falta una persona para cambiar a una nación y esa puedes ser tú. ¡Lee este libro y te llenarás del poder de una joven de la talla de Ester!»

NATALIE GRANT,
CANTANTE / COMPOSITORA

«Lisa Ryan llenó estas páginas de jóvenes que respondieron el llamado de Dios con un sí de todo corazón... ¡aun cuando tuvo un precio para ellas! Chicas, ustedes se llenarán del valor y el deseo para hacer lo mismo. ¡Sean parte de una Generación Ester! ¡Sean muchachas de Dios y hagan un cambio en su generación por Jesús!»

ANDREA STEPHENS,
REDACTORA DE BELLEZA EN LA REVISTA BRÍO,
AUTORA DE *Stuff a Girl's Gotta Know*

«Generación Ester está lleno de inspiradoras historias de triunfo y de gracia. Dios tiene un gran destino para los que desean que Él los use. ¡Otro jonrón, Lisa!»

LISA KIMMEY,
Out of Eden

generaciónester

HISTORIAS DE JÓVENES
QUE SE LEVANTAN PARA
UN MOMENTO COMO ESTE

Publicado por
Editorial Unilit
Miami, Fl. 33172

Primera edición 2004

Originalmente publicado en inglés con el título:
Generation Esther por Lisa Ryan
Publicado por Multnomah Publishers, Inc.
204 W. Adams Avenue, P. O. Box 1720
Sisters, Oregon 97759 USA

Traducción: Adriana E. Tessore de Firpi
Diseño de la cubierta: Steve Gardner
Fotografías de la cubierta por: Corbis

Producto 495351
ISBN 0-7899-1214-7
Impreso en Colombia
Printed in Colombia

FELIZ DÍA DE LA AMISTAD

Este libro está dedicado a todas las jóvenes que
responden el llamado a unirse al
Movimiento de Jóvenes de Dios y
se levantan para vivir vidas
apartadas, hacer decisiones
piadosas, tener buena
reputación, enfrentar
retos y salir con valor...
para un momento como este.
Son mis heroínas y esto es para ustedes: Generación Ester.

Qué más podría decir en nombre
mío y de todo los q' te conocen...

GRACIAS X SER TAN ESPECIAL

ERES LA MEJOR AMIGA Q' ALGUIEN
PUEDA DESEAR.

Tú sabes que te amo mi PARSE!

Eso y + eres tú!

AMIGA - FRIEND - SISTER
CONFIDENTE - COMPINCHE - PANA...

Contenido

Gratitud

Mi humilde y sincero agradecimiento a:

Mi Señor, por permitirme ser una administradora de este mensaje para las jóvenes. Has sido muy fiel en los encuentros divinos con algunas de las Ester de estos tiempos y tengo el honor y el privilegio de contar sus historias.

Mi familia, que me alentó sin cesar un mes tras otro. A mi esposo, Marcus, por confiar en mí, por posponer su tesis para que yo pudiera monopolizar la computadora, por sus extraordinarias habilidades en la redacción y por solucionar los problemas que surgían con la computadora debido a la inexperiencia de su esposa. A mis hijas, Quinlyn, Logan y Madelin por haber orado cada día por «mami para que termine su libro».

Mi círculo de amigas solteras que siempre me aconsejan, inspiran, desafían y animan: Marti, Kim, Paula, María, Karen y Darlene. Chicas, las quiero mucho.

Renee DeLoriea, por echar los cimientos y por su don de brindar aliento.

Jim Lund, por sacarme de apuros y comprender las cuestiones femeninas.

Jennifer Gott, por descubrir mi voz y la voz de esta generación.

Mi familia editorial de Multnomah... hizo falta un equipo de personas para llevar este libro de una idea a las manos del lector. Sin este equipo, *Generación Ester* todavía sería una idea. Les doy las gracias por creer en mí y creer en ti.

Introducción

Generación Ester

lisaryan

¿Puedes creer que la mayoría de los programas de televisión, películas, canciones, revistas, sitios de Internet y novelas románticas te hablan sobre el potencial de las muchachas? ¿Que la valía y el empuje viene de mostrar la piel y las curvas para llamar la atención de los chicos, coquetear de manera escandalosa, ser provocativa como la joven estrella del momento o acostarse con todo el mundo? ¿O que la felicidad solo se encuentra al ser la más bella, la mejor vestida y la más presumida reina de todas? Quizá te metiste en apuros o incluso saltaste a la acción porque crees que todas lo hacen. ¿Crees en realidad que todas las chicas no pierden oportunidad de demostrar que son una apetitosa carnada sexual a la que ningún hombre es capaz de resistirse? ¿O que todas están en una alocada carrera por alcanzar la cima y ser la chica más famosa y que, por lo tanto, tú tienes que ser una de ellas?

Si es así, tengo algo que decirte: ¡No todas las jóvenes lo hacen! ¡Y no todas las jóvenes actúan de esa manera! Al contrario, son muchísimas las que eligen un enfoque para la vida diferente por completo. Se rebelan contra los mensajes destructivos de este mundo y forjan su propio camino con propósito, incluso puedes llamarlas *contraculturales*.

Cada vez son menos las muchachas que hoy se tragan la idea de que hay que hacer que se babeen con una o hay que saber cómo sacar ventaja del otro. En vez de concentrarse en sí mismas, se ocupan de ayudar a los demás. Protegen a sus hermanas en vez de apuñalarlas por la espalda. Les preocupa mucho más pensar quiénes son en realidad, que lo que pueden obtener. En resumidas cuentas, quitan de sus vidas toda la basura que las hace ser débiles e incorporan las cosas que hace que una mujer sea fuerte, en verdad fuerte, porque es poderosa en Dios.

A las adolescentes y jóvenes que forman parte de este novedoso movimiento para Dios las llamo «Generación Ester». Estas jóvenes (en lugar de Gen-X o Gen-Y puedes llamarlas *Gen-E*) no andan tras la lista de bondades que se ofrece al resto de los integrantes de la presente generación. Tienen un hambre profunda por verdaderas y personales experiencias espirituales y por tener un propósito que valga la pena vivir e incluso morir.

Las chicas de la Generación Ester no se conforman con las oscuras experiencias espirituales que promueven la mayoría de los programas de televisión y las películas donde invitan a las jovencitas curiosas a involucrarse en la hechicería. Tampoco se entrometen en la enorme cantidad de trampa y engaño que ofrecen los programas llamados *reality shows* (¿y qué tienen de «real» esos espectáculos? ¡Vamos!), en los cuales a menudo los chicos saltan y traicionan. No se conforman con las cosas que les dan placer momentáneo, pero que al final lastimarían. Y, por supuesto, no están dispuestas a permitir que aumenten las arcas de una industria que emite mensajes de invitación a odiar a los padres (o algo peor), a no respetar la autoridad, a ser indiferente a todo, a festejar a lo loco, a vivir por la relación sexual o a suicidarse.

Los actos terroristas del 11 de septiembre de 2001 se convirtieron en un evento definitorio para esta generación. Después del mismo, la gente comenzó a tomar conciencia de su vida y se replanteó qué haría para que esta fuera significativa. Esta tendencia es en especial visible entre los jóvenes. Lo he visto de primera mano entre los cientos de jóvenes mujeres que me han enviado correos electrónicos, tanto de Estados Unidos como de muchos países en todo el mundo, para decirme que están dispuestas de forma radical a vivir una vida apartada para Dios.

Comencé a recibir estos correos después que se publicó mi primer libro, *Para un momento como este*, en el verano de 2001. Luego de leerlo (se basa en la historia bíblica de Ester), las chicas comenzaron a comentarme cómo les impactó en sus vidas el ejemplo de esta reina del Antiguo Testamento. Ya sea que se encontraran en el tiempo de preparación, en medio de una crisis o ante decisiones difíciles y que requieren de valor, todas se sintieron identificadas con Ester y lograron reconocer que Dios las conducía siguiendo muchos de los mismos pasos por los que guió también a este personaje. Aun en medio de enormes desafíos a la fe y al carácter, estas Ester de nuestros días responden al llamado divino.

¿Por qué Ester?

Siempre me encantó la historia de Ester y su ejemplo sigue siendo importante para las jóvenes, tal vez ahora más que nunca. Esta adolescente del AT (es decir, Antiguo Testamento) era mucho más que un rostro bonito. Enfrentó desafíos, tomó difíciles decisiones, luchó contra momentos críticos y respondió al llamado de Dios. Gracias a su obediencia, su valor y su sabiduría se salvaron muchas vidas y se cumplió el propósito de Dios en una nación.

El Señor continúa buscando jóvenes de temple y valor que cumplan con sus propósitos divinos. Él busca adolescentes y jóvenes comunes y corrientes, chicas *como tú*, dispuestas a recuperar valores eternos como la virtud, la pureza, la obediencia, el valor, la bondad, la sabiduría y la devoción. En este mismo momento, Dios prepara y usa a muchas jóvenes a fin de que se distingan en el mundo en el que serán parte de las forjadoras de la historia.

Cada generación antes que la tuya ha tenido sus «Ester», esas jóvenes que manifestaron cualidades del carácter que posibilitó que Dios las usara de maneras notables con el fin de cumplir sus planes. Hoy, Dios está llamando a la Generación Ester y edificando sobre las bases de previas generaciones. Sin embargo, este movimiento masivo de Dios se manifiesta en la vida de chicas como tú.

Ahora es el momento de seguir tras el papel que Dios tiene destinado para ti dentro de su plan eterno.

¿Te llama Dios a unirte a la Generación Ester? ¿Sientes la convicción o el impacto de Dios para distinguirte y cumplir un propósito que es mayor que tú?

Con el propósito de reconocer algunas maneras en que Dios forma y levanta a jóvenes como tú para que sean las Ester de la actualidad, comenzaremos por analizar la vida del modelo bíblico: Ester. Luego, al observar la vida de algunas Ester de nuestros días y ver cómo se levantan ante el llamado, serás capaz de identificar a la Ester que está en ti... *para un momento como este*.

capítulo uno

Para un momento como este

reinaester

La historia de Ester es un relato legendario de una joven común y corriente a la que usó Dios de manera extraordinaria. Es la historia de una huerfanita con un trasfondo común a la que empujaron de repente a un concurso de belleza y a la que pronto ascendieron al papel de reina de un vasto reino (en realidad, una especie de historia de Cenicienta). Aun así, esta adolescente guardaba un secreto que podría haberla matado. Entonces un cambio de los hechos la obligó a decidir si debía o no exponer su vida a fin de proteger a su pueblo de la destrucción. Solo *ella* podía salvarlos.

Parece un guión para una película de Hollywood, ¿no es cierto? Sin embargo, esta historia es real.

Aun si ya leíste la historia de Ester en la Biblia o en mi primer libro, *Para un momento como este*, creo que desearás profundizar un poco más conmigo en la vida de Ester. ¿Por qué? Porque al comparar la vida del modelo eterno de este papel con la vida de jóvenes de hoy que muestras similares características te ayudarán a comprender mejor las maneras en que Dios obra en *tu* vida. Analizaremos:

- qué hay en Ester que la convierte en un papel modelo para generaciones futuras.
- las formas en que Ester expresó su carácter que la ubicaron en su noble tarea.
- las difíciles decisiones que tomó Ester que la distinguieron de las demás.
- el valor que necesitó para ser una hija de Dios en un momento de crisis.

Decisiones... desafíos... una crisis... y un llamado, Ester los enfrentó todos. Aun así, ¿sabes qué? Tú también lo harás. Y la manera en que respondes a esas situaciones determinará cómo Dios te usará en tu generación.

Para descubrir cómo se aplica el ejemplo de Ester en nuestras vidas hoy, echemos un vistazo a su historia... y cómo Dios modeló una vida común y corriente en una extraordinaria.

Se escoge a una joven para una tarea de la talla de un hombre

Ester era una muchacha que...

Espera un momento. ¡Alto! ¿Una muchacha?

Antes de continuar, vamos a asegurarnos de captar algo que es sencillo de pasar por alto. *Ester era una muchacha*. Es asombroso y alentador que justo antes de que se desencadenara una crisis para el pueblo de Dios, Él depositara toda su confianza en una adolescente del montón. De entre todas las personas que Dios podría haber seleccionado para proteger a los judíos cuando recibieron la amenaza de aniquilación, ¡Él escogió a una jovencita! Eso nos habla de que Dios se deleita en sus hijas y quiere usarlas para alcanzar al mundo de una manera exclusivamente femenina. ¡Pareciera que en ocasiones la más indicada para realizar una tarea sea una chica! Entonces y ahora, el Espíritu Santo es la *única* fuente del auténtico «poder de muchacha».

Ester no se levantó un día y, al mirar su agenda electrónica y notar que era su cita con el destino, y se preguntó: «¿Qué me voy a poner?». No, hubo dos elementos importantes que obraron juntos en la vida de Ester, los cuales allanaron el camino para que ella pudiera estar preparada en el momento y en el lugar preciso para que Dios la usara de manera extraordinaria. *Primero*, la creativa y providencial mano divina estuvo sobre Ester aun antes de su nacimiento. *Segundo*, Ester estaba dispuesta a someter su voluntad a la de Dios, permitiendo que la moviera de un hecho significativo de su destino al siguiente. Las cualidades del carácter que necesitaría en ese momento crucial se formaban y modelaban en ella, de decisión en decisión, mientras hacía lo bueno. Todas las veces, debido a que Ester fue obediente, permitió que Dios fuera el que dirigiera su vida.

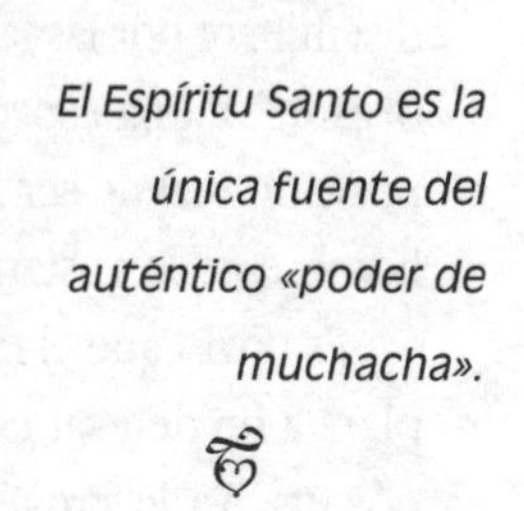

Obediencia y respeto

En realidad, la historia del destino de Ester comenzó en su niñez. Como sabes, era huérfana. Es probable que los enemigos de los judíos asesinaran a su mamá, su papá y quizá hasta sus hermanos. Debido a que los judíos se vieron obligados a dejar su tierra natal y vivir en el inmenso reino de Persia, tuvieron que lidiar con prejuicios religiosos y raciales.

Después que murieron sus padres, Ester se fue a vivir con su primo mayor Mardoqueo y su familia. Llegó a ser como una hija para Mardoqueo y se dedicó a él y obedecía sus instrucciones.

Para Ester cumplir ese fundamental momento en su destino, cuando Dios la usaría para liberar a su pueblo de la aniquilación, fue importante que desarrollara los rasgos del respeto y la obediencia en su carácter. Al final, la firmeza de estos rasgos la llevarían a decir *lo adecuado* en el *momento preciso* después que la ascendieran a la *posición apropiada* para pedirle al rey Asuero la vida de su pueblo.

Providencia

La oportunidad para la «cita con el destino» de Ester se presentó sola cuando el rey Asuero se enojó con su reina y la destronó. La cuestión principal fue que la reina Vasti se negó a presentarse cuando la llamó el rey, lo cual era un ejemplo de falta de respeto que los consejeros del rey temían que se diseminara por las familias del reino. Entonces, le sugirieron a Asuero que organizara una especie de desfile para hallar a una mujer más digna de la posición real de ser reina. Al rey le encantó la idea, por supuesto, (¿A qué hombre no le gustaría?).

Es obvio que el rey Asuero no tenía idea de que Dios también tenía un plan, a fin de usar este concurso de algún modo mundano para sus propósitos. Ya la Providencia estaba en acción. Dios preparaba el camino para colocar a *su* muchacha para un momento divino.

Los requisitos del concurso se divulgaron: «Que se busquen jóvenes vírgenes y hermosas».

SE DISTINGUIÓ DESDE EL PRINCIPIO

Se requería pureza

La virginidad era uno de los requisitos para entrar en la primera ronda de este desfile. Para que una joven se considerase siquiera para la posición de reina, debía tener la pureza de una virgen.

La pureza de Ester la capacitaba para su destino. En nuestra época, algunas personas considerarían, como mínimo, este requisito socialmente inadecuado. Otros afirmarían que hasta te verías en apuros para encontrar vírgenes para la competencia. Sin embargo, en la época de Ester, la pureza física era un alto ideal. Hablaba sobre la reputación de la muchacha y de su familia. A una joven soltera que no fuera virgen la repudiaban y la tildaban de inmunda, impura y una vergüenza para su comunidad. La pureza era una virtud valorada.

Hoy es otra historia. En nuestra sociedad se acepta, y casi se espera, la transigencia sexual. Sin embargo, el alto valor de la pureza no ha cambiado a los ojos de Dios. Los tiempos quizá hayan cambiado, pero Dios no.

Cuando sus ojos recorren la tierra en busca de las personas que va a mover al siguiente nivel de preparación en su plan para sus vidas, su atención se centra en los que demuestran pureza, virtud, modestia y discreción.

> No aparta sus ojos del justo, sino que, con los reyes sobre el trono, los ha sentado para siempre, y son ensalzados.
>
> JOB 36:7, LBLA

La virginidad de Ester era una expresión de la pureza de su corazón, mente y motivos. Como en Ester, nuestra pureza interior se pone en práctica en las decisiones que hacemos y en la forma en que vivimos. No obstante, quiero decir algo importante aquí: Si esta discusión sobre la necesidad de pureza trajo convicción a tu corazón, anímate, tú *siempre* puedes empezar de nuevo. Si no has mantenido la pureza, no estás descalificada para siempre a fin de hallar el destino de Dios para tu vida. Dios puede limpiarte y renovarte. Si se lo permites, hará que te distingas una vez más, o quizá por primera vez, para sus propósitos. Recuerda esto: Jamás es demasiado pronto ni demasiado tarde para comenzar a caminar en pureza en todas las esferas de tu vida.

La preparación... y el irresistible favor de Dios

Como las demás participantes de este desfile de belleza, a Ester la pusieron aparte en el palacio durante un año. Allí la prepararían, purificarían y embellecerían antes de su encuentro con el rey y antes de que en verdad se considerara para ser su reina. Cualquier imperfección que tuviera se trataría con compuestos medicinales. Los cosméticos, hierbas y aceites especiales eran parte de este tiempo de intensa preparación.

En el aspecto físico, era una transformación de belleza. ¿Y a qué chica no le encanta una transformación? Sin embargo, en el aspecto espiritual, observamos que se trató de un tiempo de purificación y de preparación para su ascenso a *reina* y más tarde de *abogada*. Al igual que lo hizo con Ester, Dios está apartando muchachas y preparándolas mediante la purificación de sus corazones, de sus mentes y cuerpos para propósitos aun no revelados.

Dios también dotó a Ester con los demás requisitos necesarios para su destino específico. ¿Recuerdas el anuncio de jóvenes vírgenes y ***hermosas***? Dios sabía que la juventud de Ester y su belleza exterior llamarían la atención del rey. La Biblia dice que ella «tenía una figura atractiva y era muy hermosa» (Ester 2:7). Aun así, la cosa más atractiva de Ester era su belleza interior que brillaba mucho más que el precioso envoltorio.

En Ester 2:15 se nos dice que se ganaba la simpatía de todo el que la veía. Hasta Jegay, el encargado de las jóvenes que esperaban, vio algo especial en Ester por lo que le concedió un cuarto privado para el año de preparación. Ester aceptó con humildad el consejo de Jegay acerca de lo que debía llevar cuando visitara al rey. La obediencia a Mardoqueo durante su niñez desarrolló en Ester el corazón de sierva que reverenciaba a los que tenían autoridad. Esa característica de su carácter era muy atractiva, incluso irresistible.

Así como las finas joyas adornaban la belleza exterior de Ester, el favor divino decoraba su ser interior. Debido al favor de Dios que reposaba sobre Ester al colocarla para su tarea divina, los demás no podían menos que sentirse atraídos hacia ella.

Amigas bien seleccionadas

Jegay simpatizaba tanto con Ester que escogió muy bien siete doncellas que la asistieran, apoyaran y acompañaran durante su tiempo de preparación.

Estas siete persas se convertirían en amigas tan fieles a Ester que terminarían ayudando y orando al Dios judío de ella por su pueblo. También estuvieron a su lado durante el tiempo de purificación y preparación.

Esta es la clase de amistades que tenemos que rogar a Dios que ponga en nuestro camino. Amistades que nos ayuden en nuestra búsqueda para distinguirnos, purificarnos y prepararnos para sus propósitos divinos. Y este es el tipo de amistad que deberíamos tratar ser para otros. Nunca se sabe... es posible que tú seas la doncella amiga escogida por Dios para servir a alguien.

Una muchacha auténtica

Cuando el año de preparación de Ester finalizó, llegó el momento de presentarse ante el rey. Cada joven candidata a reina podía escoger algo para llevar consigo al entrar en la recámara del rey, quizá para captar su atención, entretenerlo o que de algún modo la hiciera memorable. La Biblia especifica que Ester no pidió *nada* que no hubiera sugerido Jegay (2:15). Aunque Jegay sabía con seguridad lo que cautivaría el corazón del rey, Ester no se presentó a este momento crítico dando la impresión de que la manipulaban, sino que fue de manera auténtica, sin proyectar otra cosa que no fuera *su verdadero ser*.

Como mujeres, demasiado a menudo nos ocultamos detrás de una máscara de algún tipo o hacemos un poco de revuelo en un intento de impresionar a otros. Proyectamos la imagen que queremos que los demás vean con la intención de ocultar nuestras inseguridades, baja autoestima, odio o dolor emocional. Sin embargo, antes de que logremos aceptar nuestro destino y el plan de Dios para nuestra vida, tenemos que presentarnos tal y como somos, ser «auténticas» ante nuestro Rey, Jesús. Tenemos que ser vulnerables. Debido a que es en el momento de la verdad y de la debilidad que Dios se deleita en ponernos un anillo en nuestra mano y la vestidura de justicia sobre nuestros hombros y nos eleva al lugar de realeza en su corte. ¿Y acaso no es eso lo que toda joven desea en verdad?

El ascenso

La providencia de Dios y la obediencia de Ester pusieron a la joven en el lugar adecuado en el momento oportuno. Y su favor en ella la hizo *irresistible*. Adivinaste... el rey no buscó más. Encontró su reina. La corona, el ropaje, la increíble carroza y la responsabilidad del noble cargo ahora eran de Ester (y no tuvo necesidad de hacerle una zancadilla en la pasarela a las otras muchachas ni de sacarles los ojos para el puesto de reina). Ester se comportó de la misma manera para la que Dios la preparó y el ascenso le siguió con naturalidad.

LA CRISIS EMPIEZA A DESATARSE

Así que Ester estaba ahora en el palacio, viviendo como la nueva reina de Persia. Aun así, ten en cuenta que seguía obedeciendo la instrucción de Mardoqueo de que no revelara su verdadera identidad: que era una judía. La revelación de su secreto en ese tiempo le hubiera acarreado algunas serias consecuencias.

Sin embargo, antes que Ester tuviera tiempo de acomodarse en la seguridad de su nueva posición real, empezó a desatarse una malvada conspiración...

En el momento preciso en que Ester podía haber comenzado a hacerse la idea de que ser reina de Persia *era* su destino, comenzó a darse cuenta que Dios tenía un plan mucho mayor. Desde el principio, Dios tenía planeado cambiar la malvada conspiración en una milagrosa bendición para el pueblo judío. Solo Dios podía saber con antelación que la necesidad de una joven dotada de carácter, valor y compasión, y que tuviera la simpatía del rey, estaba a punto de surgir.

Los detalles de la vida de Ester son un maravilloso ejemplo de las maneras sobrenaturales en que Dios cumple su plan y propósito al colocar a determinadas personas en ciertos puestos, circunstancias y hechos. Algunos ven esta divina providencia como si fueran los trozos de tela que están dispuestos y cosidos para dar forma a una hermosa colcha de complejo diseño.

Aun antes de que Amán, la mano derecha del rey, se enfureciera con Mardoqueo, Dios sabía que este asistente ambicioso y egoísta asomaría su cabeza y pasaría a ser un enemigo del pueblo de Dios. Sabía que cuando el rey nombrara a Amán por encima del resto de la nobleza, el ego de este hombre lo dominaría por completo. Dios también sabía que Mardoqueo, hombre fiel a Dios, no se arrodillaría ante Amán. Mardoqueo jamás hubiera siquiera pensado en adorar a alguien que no fuera Dios.

Una prueba de carácter

Entonces cuando Mardoqueo se negó a inclinarse ante Amán, este se enojó tanto que decidió descargar toda su furia sobre todo el pueblo judío en el reino. Preparó un plan engañoso y convenció al rey Asuero de promulgar una ley que permitiera asesinar a todos los judíos del reino. El rey estuvo de acuerdo con la propuesta de Amán sin saber que de esa manera firmaba la sentencia de muerte de su propia esposa, la reina Ester.

En este momento, la determinación, el valor y la confianza en Dios de Ester se pusieron a prueba como nunca antes. Mardoqueo envió un mensaje a Ester en el que le rogaba que acudiera al rey para implorar misericordia a favor de los judíos. Aquí, por primera vez, vemos a una Ester que duda ante una orden de Mardoqueo. Es probable que se sintiera un poco insegura en su posición de reina. Después de todo, hacía más de un mes que el rey no la llamaba. Y lo que es peor, entrar sin que la invitaran podía conducirla a la muerte.

Cuando Ester aún no veía con claridad que su destino se cumpliría en esta crisis, ni el importante papel que representaría en este crítico momento de la historia, Mardoqueo le abrió los ojos:

> «No te imagines que por estar en la casa del rey serás la única que escape con vida de entre todos los judíos. Si ahora te quedas absolutamente callada, de otra parte vendrán el alivio y la liberación para los judíos, pero tú y la familia de tu padre perecerán».

Y la conclusión de este conocido pasaje sin duda hizo que Ester volviera a la realidad:

> «¡Quién sabe si no has llegado al trono *para un momento como este*!»
>
> ESTER 4:13-14, CURSIVAS AÑADIDAS

En su ruego apasionado, Mardoqueo señaló que este era un *momento del destino para Ester*. Dios bien podía haberla ubicado de forma estratégica en el papel de reina de manera que pudiera acercarse al rey Asuero y pedir misericordia por su pueblo. Aun cuando Mardoqueo siempre sugirió que el destino de Ester tal vez fuera ser la persona escogida por Dios para traer «el alivio y la liberación para los judíos» (v. 14), Ester aún tenía una decisión que tomar. ¿Daría ese paso que quizá fuera el cumplimiento de un magnífico plan orquestado por Dios? ¿Confiaría en las palabras de Mardoqueo: que arriesgar su vida en ese momento sería el único medio para preservarla más adelante?

Un momento Ester («¡Ajá!... ¡Ah, no!»)

Cuando Ester comenzó a darse cuenta de la gravedad de su situación, tuvo lo que llamo un «momento Ester». A un «¡Ajá!» le sigue enseguida un «¡Ah, no!» por respuesta. Primero, existe el «¡Ajá! *Ahora* veo que en esta situación me enfrento a algo mayor que yo. ¡Es un asunto de Dios!». Entonces siguiéndole los talones a esta toma de conciencia viene el «¡Ah, no! Esto quizá *me cueste* algo. ¿Estoy dispuesta a rendir mi orgullo, mi reputación, mi aceptación de los demás, mi cómodo estilo de vida o incluso la vida misma para hacer lo que me pide Dios?». Cuando ocurra un momento Ester en tu vida, es *tu oportunidad* de elegir la fe antes que el temor y ser una muchacha valiente para Dios.

> *Para que su fundamental momento del destino se desarrollara por completo, Ester tenía que tomar una decisión.*

Valor = Fe > Temor

De acuerdo... volvamos a Ester.

Mardoqueo le dio sus opciones: Podía negarse y no actuar, pero aun así Dios levantaría a *alguien* para que hiciera lo que Él tenía destinado para que *ella* hiciera. (Él es Dios... ¡Él conseguirá que se haga el trabajo con nosotros o sin nosotros!).

O bien podía actuar.

Una de las enseñanzas más importantes que aprendemos de la vida de Ester es que a partir de este momento, podía seguir adelante o darse por vencida. Tenía la posibilidad de cumplir o no el destino que Dios le dio de ser parte del plan divino para su pueblo.

¿Alguna vez estuviste en esa situación? Yo sí. A través de los años he pasado por momentos críticos en los que dejé de lado mis temores y con audacia enfrenté mi destino. *Sin embargo*, también hubo momentos en que agaché la cabeza arrepentida por haber retrocedido llena de miedo y por haber desobedecido a Dios en un punto muy crucial y fundamental de mi vida. Lo bueno es que Dios *siempre* nos da otro momento de destino. Aun así, cada vez que Él nos da esas oportunidades, somos nosotras las que decidimos si vamos a nuestra cita con el destino.

Los años de preparación del carácter de Ester la condujeron a *este* momento «¡Ajá!... ¡Ah, no!». Animada por la comprensión de que la habían colocado para ser agente de Dios en la situación, se lanzó a la acción. Ester decidió interponerse entre la sentencia de muerte y su pueblo. Prefirió luchar por lo que era justo. La reina Ester optó por aceptar su ascenso a la abogada Ester. Decidió aceptar una causa que era mucho mayor que ella, una causa que incluso ponía en peligro su seguridad y bienestar, ¡y se levantó ante el llamado de Dios!

«¡Y SI PEREZCO, QUE PEREZCA!»

Cuando Ester respondió al llamado, demostró una osadía y autoridad espiritual como nunca antes vistas en ella. En primer lugar, pidió a todos los judíos que se unieran y ayunaran:

> «Ve y reúne a todos los judíos [...] para que ayunen por mí. Durante tres días no coman ni beban [...] Yo, por mi parte, ayunaré con mis doncellas al igual que ustedes. Cuando cumpla con esto, me presentaré ante el rey, por más que vaya en contra de la ley. ¡Y si perezco, que perezca!»
>
> ESTER 4:16

Aquí hallamos algo interesante: Ester era lo suficiente humilde como para reconocer que necesitaba el favor, la sabiduría, la protección y el poder de Dios a fin de llevar a cabo su misión. Por eso, en primer lugar, se humilla ante Dios y decide ayunar, sin comer ni beber, con el propósito de centrar su total atención en Él. Y luego pide que otros se unan a su ayuno y al de sus doncellas. Al hacer esto, se humilla ante su pueblo en un reconocimiento de que no puede hacerlo sola y que los necesita.

Valor

Después que pasaron los tres días de preparación en oración, Ester se puso las vestiduras reales y se paró en el patio interior del palacio, donde el rey podía verla (Ester 5:1). Así como la vestidura real de Ester representaba su papel de reina, nuestras vestiduras reales representan la justicia de Cristo en nosotros. Un bello cuadro de nuestras vestiduras espirituales pueden verse en el siguiente pasaje bíblico:

> Me deleito mucho en el SEÑOR; me regocijo en mi Dios. Porque él me vistió con ropas de salvación y me cubrió con el manto de la justicia. Soy semejante a un novio que luce su diadema, o una novia adornada con sus joyas.
>
> ISAÍAS 61:10

Aunque Ester llevaba vestiduras reales, no por eso irrumpió en la sala del trono del rey y exigió una audiencia. Quizá su favor con el rey era menor porque hacía un mes que no la invitaba a su presencia. Sin embargo, tampoco ella se echó atrás por miedo. (¡A eso llamo yo una joven con poder de Dios!). Sencillamente se paró en el patio y esperó a que el rey notara su presencia.

Y claro que la notó. El rey vio a Ester que estaba de pie en el patio, esperando con respeto y honrando su posición de autoridad. Complacido por la gracia y dignidad de la reina, extendió su cetro. Perdonó la vida de Ester, la invitó a pasar.

Es posible que Ester estuviera temblando. Con todo, esta elegante joven permaneció fiel y con valor en el propósito de Dios, aun cuando el rey le preguntó por qué fue a verlo y le dijo que le daría lo que quisiera, hasta la mitad de su reino. (Si es conmigo, creo que le hubiera dicho todo enseguida al ver que estaba tan generoso en ese momento). Ester, sin embargo, que acababa de terminar un período de ayuno, tuvo un mayor discernimiento de cómo llevar a cabo el plan de Dios. En lugar de hacer su petición de inmediato, lo invitó a él y su más respetado hombre de la nobleza Amán, a un banquete que ya había preparado.

¡Surge la hospitalidad!

Exacto, de todas las personas a las que podría haber invitado, ¡Ester escogió a Amán! ¿Te imaginas invitando a tu enemigo a tu casa y sirviéndolo? Eso sí que requiere de fortaleza interior.

Hoy en día, los gestos de hospitalidad se consideran demasiado *infantiles* y que no valen la pena. No así para Ester. Bajo la dirección del Señor, debe haberse dado cuenta de que invitar a alguien al terreno propio y servirlo es a menudo lo que hace falta para abrir la puerta de una comunicación y relación auténticas.

Como el don de hospitalidad de Ester incrementó su favor a los ojos del rey, se dieron las condiciones para que ella pudiera vencer con el bien el mal. El rey estaba extasiado con la generosidad y la amable actitud de su reina. Una vez más, le ofreció que le pidiera lo que deseaba, incluso si esto significaba la mitad de su reino.

La situación exigía a gritos que Ester revelara su identidad y manifestara la honda preocupación que pesaba en su corazón. No obstante, el discernimiento de Ester le indicaba que debía esperar. Aún no era el momento de hablar con osadía, así que invitó al rey y Amán para otro día de banquete.

A la espera del tiempo perfecto de Dios

Ah, ¡qué diferencia puede hacer un día!

La escena en esta segunda cena fue muy diferente. Durante las veinticuatro horas que siguieron al primer banquete, el orgullo había dominado a Amán. En primer lugar, se sintió tan molesto y furioso por la negativa de Mardoqueo a inclinarse ante él, que mandó construir una horca para colgarlo. Luego, cuando el rey le preguntó a Amán cómo podría honrar a un hombre que lo había servido con fidelidad, este dio por sentado que se trataba de él y sugirió métodos complejos para honrar a una persona. Entonces, Amán descubrió con gran sorpresa (y estoy segura que con disgusto) que el rey Asuero le había pedido sugerencias para honrar a *Mardoqueo*, quien en cierta oportunidad le salvó de que lo asesinaran. Lo que es peor, el rey encomendó a Amán que llevara a cabo esa manifestación pública de aprecio por Mardoqueo, al mismo hombre que planeaba colgar. Creo que esto explica el refrán: «El orgullo precede a la caída».

Por último, en el segundo banquete, el rey le pidió otra vez a la reina Ester que hiciera su petición. De nuevo le garantizó que le daría lo que deseara, hasta la mitad de su reino. *En este momento*, Ester comprendió que había llegado el tiempo perfecto del Señor y habló con valor:

> «Si me he ganado el favor de Su Majestad, y si le parece bien, mi deseo es que me conceda la vida. Mi petición es que se compadezca de mi pueblo. Porque a mí y a mi pueblo se nos ha vendido para exterminio, muerte y aniquilación.»
>
> ESTER 7:3-4

¿Qué fue eso?

El rey Asuero estaba atónito de que alguien amenazara a Ester y su pueblo. ¿Quién sería capaz de semejante cosa contra su preciosa reina Ester? Cuando Ester le dijo que Amán era el hombre detrás de todo eso, los ojos del rey se abrieron a la verdad. Al final, a Amán lo colgaron en la misma horca que tenía preparada para Mardoqueo, a Ester le dieron todas las posesiones de Amán y a Mardoqueo lo honraron y le dieron el puesto de Amán al servicio del rey.

¿Y el momento del destino? Los judíos recibieron liberación y el derecho a defenderse por su cuenta. A través de todo el reino se llevaron a cabo celebraciones para honrarlos. Incluso, personas de diversas razas se convirtieron al judaísmo ante las noticias de lo sucedido. Hasta el día de hoy, los judíos celebran la fiesta de Purim a fin de recordar esta victoria que vino por medio de la joven reina Ester.

Ester incluso halló favor a los ojos del rey Asuero. El camino de esta muchacha que primero se convirtió en reina y luego en abogada estaba pavimentado con las cualidades del carácter que con humildad y reverencia le permitió a Dios que edificara en ella y que luego usara para sus propósitos divinos. A medida que avanzaba de una oportunidad providencial a otra, se plasmaba su destino de convertir una potencial crisis nacional en un milagro de liberación. Lo que Satanás pretendió que fuera para el mal, Dios lo convirtió en algo bueno.

A la gente le llama la atención el carácter y el valor que demostramos por Cristo y desean saber más sobre este Dios que nos sirve de inspiración y que adorna nuestras vidas. Permite que la vida de Ester y las vidas de las Ester de nuestros días que destaco en este libro te inspiren para que produzcas el mismo impacto en tu mundo. Tal vez naciste y te trajeron a este lugar de tu vida *para un momento como este*.

capítulo dos

Puestas por Dios para abogar por otros

savingarrows

Hacía cuatro horas que Melissa y Christin espiaban por turnos a través del pequeño hueco en la cerca. Sin duda, era difícil saber siquiera si alguien cambiaba de opinión cuando hora tras hora, semana tras semana, mes tras mes, gritaban: «Disculpe, señora, ¿puedo hablar un minuto con usted? ¿Puedo ofrecerle alguna literatura?». Sin embargo, ¿cómo iban a dejar de hacerlo? Después de todo, ¿y qué si se salvaba la vida de un bebé debido a que estaban paradas allí?

Luego de orar juntas, Melissa y Christin una vez más ocuparon su lugar en la parte trasera de la clínica, del otro lado de la cerca que rodeaba el estacionamiento. Su amiga Danielle estaba en el frente, cerca de la entrada del aparcamiento. Con mucho, hoy era un día más llevadero que otros. Al menos no llovía, no hacía un frío de congelarse, ni tanto calor como para que estuvieran empapadas en sudor. Tampoco les habían gritado los policías mediante megáfonos ni las habían insultado, hasta el momento.

Mientras Danielle entregaba folletos a las personas que llegaban al estacionamiento ya fuera en auto o a pie, se puso a recordar cuando ella y Melissa oraron por más chicas que se unieran a su trabajo en las clínicas.

Por alguna razón, la mayoría de las que acudían a hacerse un aborto eran adolescentes y estaban más predispuestas a hablar con alguien de su edad. Solían alejarse avergonzadas cuando se les acercaba un adulto.

Hacía tanto tiempo que eran las únicas adolescentes que iban a las clínicas de abortos los sábados, y cada día durante el verano, que Danielle y Melissa comenzaron a sentirse un poco solas. Desde que eran niñas asistían a encuentros «por la vida» con sus padres. Y, desde entonces, a menudo se preguntaban si serían las únicas niñas dedicadas a salvar la vida de los bebés nonatos.

Las muchachas a menudo se preguntaban si serían las únicas niñas dedicadas a salvar la vida de los bebés nonatos.

Fue fantástico que muchas adolescentes y chicos del instituto se unieran al grupo que formaron, llamado *Saving Arrows*. ¡Qué bueno! Dios reunió a un lindo grupo. Por supuesto, sobresalían los chicos con el cabello rosado, con narices y labios perforados o con muchas cadenas. Sin embargo, era imposible no notar las diferentes razas y orígenes: negros, blancos, hispanos y asiáticos.

Las esperanzas de que otros se unieran al grupo comenzaron a aumentar cuando organizaron un par de encuentros de jóvenes en la iglesia local. Christin era una de las veintitantas adolescentes que comenzaron a acompañarlas a las clínicas luego del primer encuentro. Al mirar hacia atrás, cuesta creer que Christin haya afirmado en cierta oportunidad que pensaba que Melissa y su familia estaban locos por ir siempre a encuentros «por la vida».

Mientras Danielle permanecía cerca del estacionamiento y agradecía a Dios por haber reunido a este grupo tan selecto, notó que Melissa venía corriendo hacia ella. «¡Una chica cambió de idea!» Cuando Danielle tomó conciencia de lo que decía Melissa, su corazón empezó a latir con más fuerza. ¡Una chica había cambiado de idea en cuanto a abortar a su bebé!

¡Te doy muchísimas gracias, Señor! Gracias por rescatar a uno de tus pequeñitos. Y gracias también por evitar que esta mamá sienta su

corazón destrozado cuando reaccione y se dé cuenta más tarde de lo que es en realidad el aborto... que es asesinar a la más inocente e indefensa criatura creada a tu imagen.

Más tarde, Melissa y Christin le contarían a Danielle cómo se desarrollaron los hechos de este rescate y cómo casi se pierden la oportunidad de concretarlo. Si no fuera por un agujerito en el plástico verde que estaba entretejido en la alambrada, les sería imposible visualizar a las mujeres que entraban a estacionar su automóvil en el estacionamiento que tenía un cartel de «Prohibido pasar» y se hallaba oculto tras la alambrada de dos metros y medio de altura que otorgaba privacidad.

El hueco que había en el plástico era lo suficiente grande como para que las chicas espiaran con un solo ojo. Muchas veces las jóvenes que estaban en el interior del estacionamiento se sentían confundidas cuando al pasar caminando escuchaban: «¡Chis! ¡Chis! ¡Aquí! ¿Puedo hablar contigo un minuto?». Las jóvenes miraban desorientadas hacia todos lados: para arriba, detrás de los autos y a su alrededor hasta exclamar: «¡Eh!, ¿de dónde viene esa voz?». Otras dirían: «¿Dónde estás? ¿Qué quieres?». A veces parecía que quizá fuera la voz de Dios... *tratando de detenerlas*. ¡Y lo era!

Sin embargo, en vez de hablar con estas jóvenes como lo hizo con Moisés, desde la zarza ardiente (véase Éxodo 3), Dios les hablaba por medio de Danielle, Melissa y Christin, tres Ester de nuestros días que se habían convertido en abogadas de la vida. No escogieron el centro comercial para pasar los días, sino la clínica de abortos, turnándose para vigilar a alguien, a cualquiera, que pasara lo suficiente cerca para escuchar su llamado.

El estacionamiento estaba bastante lleno ese día y las chicas habían entregado folletos a varios a través del agujero. Algunos eran esposos o novios que esperaban mientras las esposas o novias estaban dentro.

Melissa y Christin notaron a una mujer sentada en su auto durante lo que parecía mucho tiempo. Las chicas dieron por sentado que esperaba para llevar a alguien a casa, así que no le prestaron demasiada atención. Ambas conversaban cuando Melissa espió por el agujero justo cuando esta joven corría hacia la clínica. Y parecía que estaba a punto de echarse a llorar.

Sabiendo que solo contaba con unos pocos segundos para llamar la atención de la joven, Melissa gritó: «Disculpa... ¿puedo darte un folleto?». La chica se detuvo en seco como si alguien hubiera puesto una pared de ladrillos frente a ella. Miró a su alrededor para descubrir de dónde provenía esa voz. De nuevo Melissa gritó: «¿Puedo darte algo?».

Cuando la joven se dio cuenta de que la voz provenía del agujero en la cerca, asintió y se acercó.

Desenrolló el folleto que Melissa le pasó por el hueco. En la primera página había una foto de un bebé nonato. En cuanto lo vio, rompió a llorar. De inmediato, giró sobre sus talones y se metió en el automóvil... ¡y huyó de la clínica!

La providencia de Dios y la obediencia de ellas se unieron para un propósito eterno.

Al darse cuenta de lo que pasaba, Melissa corrió hacia el frente del edificio, donde sabía que la mujer tendría que salir del estacionamiento. Su corazón latía con fuerza mientras marcaba el número del *Crisis Pregnancy Center* [Centro de ayuda para embarazadas] en su teléfono celular.

—Yo puedo... Yo tengo alguien que me gustaría llevarles. ¿Está bien?

—Bueno, en realidad, vamos a cerrar. Sin embargo, sabes que para ti siempre estará abierto, Melissa —respondió la amable voz del otro lado de la línea.

—¡Gracias! ¡Muchísimas gracias! —respondió Melissa a punto de llorar.

En ese mismo instante, Melissa vio que se acercaba el automóvil de la muchacha. Le hizo señas para que se detuviera. Melissa se asomó por la ventanilla y le dijo: «Hola. Subo a mi auto y te acompaño hasta el *Crisis Pregnancy Center*. Allí te van a ayudar. ¿Te gustaría seguirme?».

La joven asintió y estuvo de acuerdo.

Melissa se sintió eufórica al darse cuenta de que ella y las demás muchachas eran parte del plan de Dios en la vida de esta joven y de su bebé. La providencia divina y su obediencia de ellas se unieron para un propósito eterno. Melissa corrió hacia su automóvil y le hizo señas a la chica para que la siguiera. Mientras se dirigían hacia el CPC [por sus siglas en inglés] y Melissa observaba por el espejo retrovisor, llamó de nuevo al Centro para avisarles que ella y la joven estaban en camino.

«¿Cómo se llama?», preguntó la consejera de admisión.

«No lo sé. No tengo idea... ¡solo me sigue en su automóvil!»

Mientras estacionaban y se dirigían hacia la entrada del CPC, Melissa sonrió a la joven y le dijo:

—Aquí es. Este es el *Crisis Pregnancy Center*. Mucho gusto, me llamo Melissa.

—Muchas gracias por acompañarme. Soy Latisha.

Melissa puso su mano en el hombro de la joven.

—Me da gusto conocerte, Latisha. Entremos.

Estaban sentadas en silencio en la sala de espera mientras Latisha comenzaba a llenar unos formularios. Luego de unos minutos de estar allí, Latisha dijo:

—Ya estoy bien. Puedo esperar sola a que me atiendan.

Melissa se despidió de ella, subió a su automóvil y manejó de regreso a la clínica de abortos. Mientras pensaba en su breve pero emotivo encuentro, se puso a orar:

Señor, ayuda a Latisha para que mantenga su decisión de no abortar su bebé. Pon en su corazón un amor especial por esta criatura que nada ni nadie logre cambiar. Que sus familiares y amigos no la convenzan de que se haga un aborto. Te doy gracias por los planes maravillosos que tienes para la vida de ese niño.

Más tarde, cuando Danielle, Melissa y Christin conversaban sobre lo sucedido ese día, se asombraron por cómo casi se pierde la oportunidad de salvar la vida de ese bebé. *Por poco* no van ese día debido a que tenían tareas y debían estudiar para unos exámenes. *Por poco* Christin y Melissa no ven a la mujer cuando sale del auto y se dirige a la clínica. *Por poco*

Latisha atraviesa la puerta sin escuchar el llamado de Melissa. Y *por poco* el CPC no estaba cerrado cuando llamó Melissa.

Al reflexionar en lo que *por poco* no pasó, Melissa dijo: «Ya ven, nos habríamos perdido algo fabuloso. Habríamos perdido lograr algo en verdad importante para Dios o ser determinantes en la vida de otra persona». Las chicas siguieron conversando sobre cuántas oportunidades se perderían cuando no se presta atención al llamado del Espíritu Santo.

Dios cambió los *por poco* en una *realidad*.

Una sorpresa maravillosa

Dos meses después, la providencia divina se puso de nuevo en acción, como lo fue ese día en la clínica. Me invitaron para que actuara como maestra de ceremonias en un encuentro para recaudar fondos para el CPC.

Se trató de un gran encuentro en el enorme salón de baile del hotel Founders, en Virginia Beach. Asistieron cientos de personas que colmaron las magníficamente decoradas mesas. Me senté a la cabecera de la mesa a fin de presentar los oradores esa noche.

Al llegar, me disgusté al enterarme que Alan Keyes, el orador principal de la noche, no asistiría debido a un pequeño accidente automovilístico. Lo sustituiría el pastor Johnny Hunter, un hombre con mucha reputación y que abogaba por la vida que vino a apoyar al CPC. La ausencia del Dr. Keyes significaba que el pastor Hunter sería el que dirigiría esa noche. Ninguno de nosotros tenía idea de que Dios establecía su propia agenda para la noche.

Ella no llevó a cabo el aborto e iba a tener a su bebé.

La sorpresa que Dios nos tenía preparada comenzó a develarse más tarde cuando presenté a una joven que asistió al CPC. Escuché el relato de esta futura mamá que enfatizaba la ayuda recibida en el CPC. Entre lágrimas, expresó la angustia que experimentó al enterarse de su embarazo. Ya tenía dos niños y no se sentía capaz de hacerse cargo de un tercero. Había acudido a la clínica de abortos con la firme intención de abortar su bebé.

Continuó explicando que estaba a punto de entrar a la clínica, cuando escuchó que alguien la llamaba y le entregaba un folleto a través de un agujero que había en la cerca que rodeaba el estacionamiento. Debido a eso, no llevó a cabo el aborto e iba a tener a su bebé.

Mientras contaba su historia, un par de chicas se acercaron en silencio hasta donde estaba el pastor Hunter y le susurraron algo al oído. Una enorme sonrisa apareció en su rostro. Las muchachas regresaron a su asiento mientras que la bella joven expresó su agradecimiento por todo el apoyo y asesoramiento recibido en el CPC.

Latisha abandonó el estrado y se sentó en medio de los aplausos del público. Todo parecía indicar que el aporte de esta joven había concluido.

Si te gustaría ser voluntaria en un CPC cerca de tu casa, o si estás en medio de una crisis por un embarazo, conéctate a www.optionline.org, o llama al 1-800-395-HELP.

El pastor Hunter se acercó al micrófono. Ahora bien, él es uno de esos maravillosos predicadores negros que de forma magistral cuentan historias que cobran vida. Así que comenzó a hablar sobre la manera en que Dios dispuso las cosas para esa noche y de que estaba a punto de ocurrir algo fuera de programa.

El pastor Hunter relató que su hija Danielle junto a sus amigas, Melissa y Christin, y otros jóvenes pertenecientes al grupo llamado *Savings Arrows* iban fielmente a la clínica de abortos a la que Latisha hacía referencia. Él mismo las había visto entregar folletos a través de ese pequeño agujero en la cerca. De ahí que cuando Latisha contó su historia, supo casi con certeza quién le dio ese folleto y la condujo hasta el CPC.

«Latisha, ¿te gustaría conocer a las jovencitas que estaban del otro lado de la cerca aquel día?» A Latisha se le iluminó el rostro y asintió con lentitud. «Chicas, pasen al frente», dijo el pastor mientras dirigía su mirada hacia el fondo del recinto.

Un suave murmullo recorrió el salón a medida que la gente se daba cuenta de que presenciaban una obra de Dios. Nadie pudo contener las lágrimas de emoción mientras las tres jovencitas avanzaban hasta el escenario. Allí tenían a tres adolescentes, como muchos otros adolescentes que hayas visto, pero había algo muy diferente en ellas.

En vez de ir a mirar vidrieras en el centro comercial o dedicarse a cualquier otra actividad que las chicas hacen casi siempre los sábados, se dedicaron con fidelidad y constancia a defender la vida de los bebés nonatos. De manera similar a la Ester de la Biblia que se arriesgó para salvar la vida de su pueblo, estas jóvenes princesas guerreras hacen todo lo posible por detener la muerte inminente que está a solo unos cuantos pasos: la distancia desde donde las embarazadas estacionan el automóvil hasta la entrada a la clínica.

Gracias a estas chicas, Latisha se salvó de tener que experimentar un terrible dolor emocional a causa del aborto y a su bebé se le permitió gozar de su derecho a la vida.

Los cientos de invitados permanecieron paralizados por la emoción al observar al pastor Hunter que unía la mano de Latisha con las de Melissa, Danielle y Christin en un reencuentro inolvidable.

Así fue cómo me encontré por primera vez con estas jóvenes. El encuentro fue también lo que me inspiró para escribir este libro. Cuando vi el manto de Ester sobre estas muchachas, supe que ellas, y otras tantas, servirían de inspiración a las jóvenes para responder al llamado de Dios y convertirse en las Ester de hoy para su generación.

MÁS VIDAS SALVADAS

Cuando hace poco hablé con las chicas, me alegró saber, aunque no me sorprendió en absoluto, que cuando Danielle, Melissa y Christin se mudaron a otros estados debido al estudio y ministerio, cada una comenzó a desarrollar nuevos grupos de *Saving Arrows*. Heather, la hermanita de

Christin, es una maravillosa adolescente que con solo *quince años* de edad se quedó a cargo del trabajo en Virginia Beach.

Al entrevistarme con cada una de ellas, me impresionó muchísimo la madurez, la facilidad de expresión y la pasión de estas chicas a pesar de su corta edad. Heather me contó que con solo once años comenzó a ir a las clínicas para acompañar a su hermana. Ahora, cuatro años más tarde, se encuentra liderando un grupo de entre quince y veinte jóvenes que pertenecen al grupo original de *Savings Arrows*.

Mientras Heather es la encargada de Virginia Beach, su hermana Christin ha iniciado un anexo de *Saving Arrows* en la universidad a la que asiste en Tennessee. Ese grupo ya cuenta con unos cincuenta miembros. Cuando Danielle se mudó a Carolina del Norte con sus padres, también continuó con la tarea en las clínicas de su zona.

Melissa hizo que *Saving Arrows* tuviera un alcance nacional. Me contó que su visión era que cada iglesia cristiana participara y se asegurara de tener equipos de rescatadores «por la vida» apostados en cada una de las clínicas de abortos de Estados Unidos durante las horas en que se encuentran operando. También me dijo que la generación actual es la más marcada por la actividad desde que el Tribunal Supremo de Estados Unidos dictó las dos leyes que legalizaron el aborto y ocasionaron la muerte de más de cuarenta y dos millones de bebés[1].

«Tenemos una doble responsabilidad porque los abortados eran nuestros hermanos y nuestros mejores amigos», explicó Melissa. «Tenemos que hablar por la tercera parte de nuestra generación que murió por el aborto y necesitamos asegurarnos de no hacer lo mismo con la próxima generación».

Mientras la escuchaba, mi mente fue hacia una película que muchos vemos en cada época navideña: *¡Qué bello es vivir!* En esta película, al personaje que encarna Jimmy Stewart le muestran lo que hubiera sido de su vida y de la de su ciudad si él no hubiera nacido. Cuando la protegía su compasión y sacrificio propio, la ciudad seguía siendo encantadora y próspera. No obstante, sin su influencia, se reducía a un terreno propicio para los bares y clubes nocturnos y a una ciudad que absorbía un avaro propietario.

Cuando pensaba en esto mientras Christin y yo hablábamos, comencé a preguntarme: *¿Cuánto más ricas serían nuestras vidas si esos cuarenta y dos millones de personas estuvieran con nosotros hoy? ¿De qué manera influirían en el mundo... y en nuestra vida?* Una vez escuché a alguien preguntarse esto: ¿Y qué si la persona que podría haber descubierto la cura para el cáncer la abortaban antes de que incluso naciera? *Muchísimas* cosas en nuestro mundo serían diferentes si se hubieran salvado las vidas de los bebés abortados.

Savings Arrows: Si estás interesada en comenzar un grupo de Saving Arrows en tu comunidad, envíale un correo electrónico a Melissa a savingarrows@hotmail.com.

Las Ester de nuestros días

Es lamentable, pero no podemos cambiar el pasado. Sin embargo, podemos aprender de él... si decidimos hacerlo. También podemos aprender de las Ester de nuestros días que optan por responder al llamado de Dios *ahora mismo*.

Las chicas de *Saving Arrows* están convencidas de que Dios las ha preparado y colocado para interponerse entre la vida y la muerte de los nonatos. *Saving Arrows* surgió a partir de la oración. Luego de pensar en la formación de un grupo durante algún tiempo, Melissa le pidió al Señor que le diera un nombre si es que Él quería que lo iniciara de manera formal. Un día, mientras oraba por eso, el Señor la guió hasta un pasaje bíblico que hizo que se le ocurriera el nombre «Saving Arrows» [Salvar las flechas]. Supo así que era tiempo de actuar.

> Los hijos son una herencia del SEÑOR, los frutos del vientre son una recompensa. Como *flechas* en las manos del guerrero son los hijos de la juventud. Dichosos los que llenan su aljaba

con esta clase de flechas. No serán avergonzados por sus enemigos cuando litiguen con ellos en los tribunales.

SALMO 127:3-5, CURSIVAS AÑADIDAS

Estas jovencitas están comprometidas a salvar «flechas», a salvar hijos e hijas, que son «herencia del SEÑOR».

Muchas de las características de Ester se pueden ver también en los miembros de Saving Arrows y en las vidas de otras jóvenes que veremos en el resto del libro. Es mi esperanza y mi oración que la manera en que Dios usa a estas Ester de nuestros días te sirva de inspiración para abrazar una causa que es mayor que tú... que te sobrepase y digas:

Señor, sé que puedes usarme mientras soy joven. ¿Qué deseas que haga para ti hoy? ¿Cómo puedo ser una Ester para mi generación?

capítulo tres

Un estilo de vida de pureza

rebeccast.james

Cuando pienso en las jóvenes que manifiestan las cualidades y fuerza de carácter que observamos en Ester, el nombre de Rebecca St. James acude de inmediato a mi mente. Y cuando pienso en ella, una joven escogida por Dios para establecer un determinado nivel de pureza, la palabra que surge en mi mente es: *virtuosa*. La pasión de Rebecca por Dios y su carga por inspirar a otros a mantenerse sexualmente puros hasta el matrimonio llegan de forma unánime a su ministerio *y* a su vida. La palabra *virtuoso* (de excelente moral, justo, casto, puro en el pensamiento y en la acción, modesto) está pasada de moda, pero deberíamos recuperarla en nuestra cultura[1].

Creo que *virtuosa* es lo que mejor describe a Rebecca porque ya hace más de una década que da los pasos necesarios para asegurarse de que su andar responda a lo que dice. En los primeros párrafos de un artículo que Deanna Broxton escribió sobre Rebecca en *Christian Music Planet*, nos brinda un excelente resumen de cuán virtuosa es Rebecca en todos los aspectos de su vida:

Hay algo extraordinario en Rebecca St. James. No se trata de que ganara el premio Grammy como mejor cantante; ni que grabara su primer disco de adoración a los trece años en su Australia natal. Ni siquiera que tenga seis discos (en realidad, siete ahora) a su favor, ni que sea una de las mujeres más admirada en la música cristiana. No, en pocas palabras, St. James es especial a los veinticinco años de edad porque tiene un dulce espíritu y una profunda espiritualidad que no puede ocultarse debajo de un almud. Brilla en la calidez de su sonrisa y fácil risa, o cuando recuerda la preocupación por los niños necesitados de la India o de Rumania, o incluso en la manera de buscar con fervor a Dios cada día.

Como hija de un promotor cristiano de conciertos, St. James quizá creciera literalmente en la industria de la música, pero el centro de atención pública no la echó a perder, ni hacer que la definiera su éxito musical. Por el contrario, la misión de su ministerio y música es clara.

«Quiero dirigir a la gente a Jesús», explica St. James. «Quiero compartir su esperanza con ellos. He visto mucha necesidad; nuestro mundo está hambriento de la verdad, la esperanza y Dios. Así que eso es lo que quiero darles».

Sin embargo, a fin de guiar a la gente a Cristo, St. James debe alimentar su propia relación con Dios al dedicarle tiempo de su ajetreado horario. Durante unos recientes seis meses sabáticos, buscó a Dios, permitiéndole que le hablara a su corazón[2].

Por lo tanto, ¿cómo esta joven, por la que sus seguidores votaron como la mejor dentro de la música cristiana actual, sigue ondeando tan alto su estandarte de pureza que va justo en contra de lo que nuestra cultura les dice a las mujeres y sobre las mujeres?[3]

Consagrada a una vida de pureza

El compromiso de Rebecca a permanecer sexualmente pura hasta el matrimonio ocurrió cuando tenía dieciséis años de edad. Se le pidió que cantara en una actividad de «El verdadero amor espera» en un parque en Peoria, Illinois. Era la primera vez que tenía noticias de este movimiento. Ya sabía y apreciaba los beneficios de permanecer pura hasta el matrimonio y sabía que quería hacerlo, pero después de escuchar al predicador hablar sobre la pureza, comprendió que necesitaba hacer un *verdadero* compromiso. Así que junto con varios cientos de otros jóvenes, se comprometió de manera formal a permanecer sexualmente pura. Ahora se encuentra entre los más de un millón de jóvenes que han firmado tarjetas de pacto por el que se comprometen a la abstinencia sexual hasta que inicien una relación matrimonial bíblica.

En su libro *Wait for Me*, Rebecca describe cómo el compromiso que hizo esa noche se ha convertido en una pasión por inspirar a otros a que hagan lo mismo: «Desde ese día he sentido un apasionado impulso en mi corazón para hablarles a otros del maravilloso camino de Dios y su preciosa protección del matrimonio: la abstinencia sexual hasta el día de la boda»[4].

Sin embargo, el compromiso de Rebecca con la pureza va mucho más allá de la simple abstinencia sexual. Sobre todo, quiere glorificar al Padre al vivir cada esfera de su vida en el camino de *Él*. Además de no querer vivir con remordimientos más tarde, el verdadero deseo del corazón de Rebecca es poder un día mirar hacia atrás y decir: «Señor, en realidad he procurado agradarte en todo, y aunque a veces he fallado, sin duda procuro mantener mis altos principios morales y seguirte de todo corazón».

Rendición de cuentas mundial

Después que Rebecca hizo el compromiso de «El verdadero amor espera», se lo dijo enseguida a sus familiares y amigos. Además comenzó a hablar sobre su compromiso en los conciertos. Como adolescente que habla a otros adolescentes, comenzó a dar el mensaje: «Escuchen, tenemos que estar juntos en esto. Sepan que no están solos». Y ahora que tiene veinticinco años, cumple su papel como hermana mayor o amiga de más edad que sigue parándose con los jóvenes y dice: «La vida, a la manera de Dios, ¡es asombrosa!».

Su entusiasmo por inspirar a otros a vivir en el camino de Dios es una expresión natural de su amor por Él, así como el resultado del suave impulso de Dios en su vida para que lo haga.

Como quizá te imagines, estar bajo el ojo atento de miles de personas que vienen a escucharte cantar, que tu cara aparezca en las cubiertas de las revistas, que te inviten a programas de televisión y que escribas un libro y una canción que hablen de la pureza es una enorme responsabilidad.

Rebecca aceptó su papel de consejera con suma seriedad. Y aunque no fuera famosa, su entrega al Señor continuaría siendo su mayor prioridad. Su relación personal con Dios es lo que la motiva a mantenerse en la senda espiritual, antes que las expectativas u opiniones de los demás.

¿Qué se siente al tener a millones de personas que te miran después que levantas la bandera de la pureza, expresas tu compromiso en público y animas a otro a vivir a la manera de Dios? Cuando se lo pregunté a Rebecca, me dijo que en lugar de sentirse muy presionada por tanta gente que observa su vida, le parecía que tenía millones de personas a las cuales rendirles cuenta en el mundo.

Su familia y amigos también la ayudan a acatar la disciplina en cuanto a la pureza. Oran por ella y la animan a mantener su corazón y su vida centrada en Dios. En cuanto a su rendición de cuentas, confía en su mamá y en sus dos mejores amigas: Karleen y Stacey. Ella y sus hermanos conversan a menudo sobre las relaciones personales ya que ellos también están en esa etapa de la vida en la que uno comienza con el noviazgo o al menos lo considera.

El papá de Rebecca desempeña también un papel importantísimo en su vida. Se echó a reír cuando le comenté que había oído decir que uno no conoce en realidad a Rebecca St. James hasta que no ha conocido a su padre. Él cumple la doble función de padre y representante. Ella considera su dirección y protección como una de las formas que Dios tiene de cuidarla. Me dijo que cree que Dios da a los padres y demás miembros de la familia la responsabilidad y la función de proteger a la mujer hasta que se casa. En ese momento, ese papel pasa a cumplirlo el esposo. ¡Estoy absolutamente de acuerdo con ella!

Noviazgo con propósito

Rebecca reconoce la necesidad de ser muy precavida en cuanto a sus propios intereses románticos. A decir verdad, no tuvo citas durante la adolescencia. Sí, tuvo sus enamoramientos cuando era adolescente, pero tenía veinte años cuando tuvo deseos de que alguien la cortejara. Dijo que esto en parte se debe a tantos viajes, aunque también porque no veía razones para que una jovencita comenzara a luchar con las presiones sexuales desde tan temprano cuando todavía ni siquiera está cerca de pensar en el matrimonio. Según su opinión, salir con muchachos antes de estar preparadas para considerar la boda es meterse en problemas. Estoy de acuerdo. Es mucho más seguro que los chicos y las chicas salgan en grupo, en especial hasta que uno tenga la edad suficiente como para casarse.

Rebecca me dijo que consideraba importante que la gente no tuviera una mentalidad de usuario cuando se trata de tener una cita o cortejar. Se apresura a señalar que si una chica no puede imaginar a un muchacho como un compañero para toda la vida, ni siquiera debería considerar tener una cita con él. Cuando hablábamos de este asunto, Rebecca me comentó que su amigo Josh Harris emplea el término «noviazgo con propósito» que tiene mucho que ver con lo que ella piensa al respecto. Dice que las relaciones románticas deben ser la manera de explorar con propósito la posibilidad de casarse con la persona que se corteja. En *Él y Ella*, Josh describe la diferencia entre las relaciones *con propósito* y *sin propósito* de la siguiente manera:

> Me gusta el término *cortejar*. Es anticuado, pero evoca el romance y la cortesía. No lo uso para describir un conjunto de reglas, sino la etapa tan especial del romance en que un hombre y una mujer consideran en serio la posibilidad del matrimonio. Creo que es importante distinguir entre los romances indefinidos y carentes de sentido (a los que le digo adiós) y una relación romántica que se orienta con un propósito definido de llegar al matrimonio[5].

¿Por qué Rebecca es tan firme en este punto? Porque cuando una chica sale con un muchacho por cualquier otra razón que no sea llegar a casarse, lo usa con algún propósito: ya sea tener alguien que la lleve a pasear o que le dé una sensación de seguridad y autoestima.

Si lo piensas por un momento, es miserable que una chica use a alguien para que la lleve a lugares divertidos o caros. ¿Acaso no debería sentirse segura y con la autoestima en alto a partir de su relación con el Señor y no depender de si tienes una cita todos los viernes por la noche? Un poco después ahondaremos más en este concepto.

Límites personales

Rebecca se ha comprometido a tener citas o ser novia de muchachos que tengan sus mismos valores. Sin embargo, a pesar de tener esos límites personales bien definidos, reconoce que no es invencible. Sabe que su verdadera fuerza, valor y pureza solo provienen del Señor. Y eso concuerda con las Escrituras: «Por lo tanto, si alguien piensa que está firme, tenga cuidado de no caer» (1 Corintios 10:12).

Como sabe que la pureza exterior es producto de la pureza interior, Rebecca dedica un tiempo cada día para estar a solas con Dios, buscarlo y desarrollar la pureza interior. Aun con millones de compañeros ante quienes dar cuenta y la ayuda del Señor, no puede menos que tener presente a muchas personas comprometidas con la pureza que ha visto tropezar. Para Rebecca, el ver lo que les sucedía a algunas parejas fue como una enorme señal de advertencia que le decía: Sé sabia y no te metas en situaciones que están fuera de la zona de seguridad (de la que hablaremos un poco más adelante).

Renacer de la pureza

Si lees esto y sientes remordimientos debido a que ya te deslizaste fuera del lugar de seguridad y protección y te has expuesto al pecado sexual porque te has pasado de la raya, has abandonado la zona de seguridad y protección para exponerte al pecado sexual, ¡presta atención!

Dios no quiere que vivas en la vergüenza y el dolor de tu pasado. Si dejas de pecar y le pides a Dios con sinceridad que te perdone y limpie tus errores, Él lo hará. Eso es lo increíble que tiene Dios. Puede convertirte en una nueva criatura, con un nuevo corazón, una nueva mente, una nueva alma *y* un nuevo cuerpo. Las chicas que han cometido errores en el pasado han hallado un gran consuelo al recuperar su pureza y ser «vírgenes nacidas de nuevo».

> *Dios no quiere que vivas en la vergüenza y el dolor de tu pasado.*

Sin embargo, ten cuidado: Si has excitado de forma prematura los deseos sexuales dentro de ti, quizá sea muy difícil reprimir esa curiosidad y apetito. Aun así, con la ayuda de Dios, puedes volver a ser una dama de honor. Con mayor razón debes poner en práctica en tu vida los pasos de protección como los de Rebeca.

El verdadero amor espera

La promesa de «El verdadero amor espera» que hizo Rebecca dice así: «Creyendo que el verdadero amor espera, me comprometo ante Dios, ante mí misma, ante mi familia y amigos, ante mi futuro esposo y mis futuros hijos a una vida de pureza que incluye la abstinencia sexual desde hoy y hasta el día en que inicie una relación matrimonial bíblica»[6].

Dedica unos minutos a leer la promesa una vez más. ¿Qué te dice Dios mientras consideras esas palabras? ¿Te sientes como Rebecca se sintió hace tanto tiempo? ¿Te gustaría hacer un compromiso verdadero y formal en cuanto a esto?

Una de las maneras de oficializar este compromiso o firmarlo, por decirlo de otra manera, es llenar una tarjeta de promesa en www.TrueLoveWaits.com. No importa cómo decidas formalizar tu posición en cuanto a la pureza, el primer paso es comprometerte con Dios y contigo misma. El segundo paso es rendirles cuentas a otros, los cuales te ayudarán a guardar ese compromiso. Así que asegúrate de decirles a tus familiares y amigos que también te comprometes con ellos de que guardarás tu pureza.

¡Y luego celebra tu decisión!

Entra en www.TrueLoveWaits.com. Únete a los miles de jóvenes que han hecho una promesa formal para toda una vida de pureza.

Sin riesgos

La estrategia de Rebecca para no correr riesgos en cuanto a la pureza es ser cuidadosa en lo que miran sus ojos, escuchan sus oídos y piensa su mente. Anima tanto a jóvenes como mayores, solteros y casados, a guardar mucho sus mentes y corazones. La relación sexual es un don sagrado de Dios que está reservado solo para la unión de un esposo y su esposa. Rebecca lo sabe, así que evita todo lo que presente la relación sexual con ligereza o de forma grotesca. Se apresura a advertir a las personas sobre películas o programas de televisión que pudieran excitarlas o llevarlas a pensar en la sexualidad de manera degradante o que presenten la relación sexual como algo impío.

En cuanto a la música, sí, ¡adivinaste!... escucha en su mayoría la música cristiana. Por un lado, quiere proteger su mente de pensamientos o letras que la conducirían en un rumbo impío. Además, desea proteger a los demás siendo un ejemplo de alguien que escucha cosas puras y de Dios.

La zona de seguridad de Rebecca también incluye mantener su mente empapada de la Palabra, a fin de lograr concentrarse en cosas que son puras, permanecer apartada para Él, fijar sus ojos en Jesús y centrar sus valores en su divina voluntad y el premio eterno del cielo. Para resumir su objetivo, a menudo se refiere a este pasaje bíblico:

> Consideren bien todo lo verdadero, todo lo respetable, todo lo justo, todo lo puro, todo lo amable, todo lo digno de admiración, en fin, todo lo que sea excelente o merezca elogio. Pongan en práctica lo que de mí han aprendido, recibido y oído, y lo que han visto en mí, y el Dios de paz estará con ustedes.
>
> FILIPENSES 4:8-9

Para ayudar a que los demás mantengan su mente pura ante el Señor, Rebecca elige con sumo cuidado el vestuario que usa en el escenario, de manera que sea ropa original, pero modesta. No quiere servirles de tropiezo a los hombres al hacerlos pensar en ella en el aspecto sexual, de modo que evita la ropa que deja mucha piel al descubierto, los trajes demasiado ajustados, con profundos escotes, que dejen la cintura, el pecho o la espalda al aire. También evita las faldas cortas y los pantalones cortos.

Además de proteger los ojos y los pensamientos de los muchachos, Rebecca desea ser un ejemplo para las mujeres. Cuenta que muchas jovencitas le agradecen por vestirse con modestia y le han dicho que nadie jamás les había explicado que usar minifaldas o prendas que dejan mucha piel al descubierto era causa de tropiezo para los muchachos. Aunque parezca difícil encontrar ropa original, moderna y divertida que además sea modesta, ella piensa mantener esa línea de conducta... ¡y tú también puedes hacerlo!

Rebecca también evita riesgos al evadir circunstancias que quizá sean inseguras para ella o malentendidas por otros. Por ejemplo, no irá en auto con un miembro del sexo opuesto cuando ella conduce. Incluso si el viaje es para ir a cantar. Si el que conduce es un hombre y llega solo, le pide que regrese con una mujer. No obstante, Rebecca irá en automóvil con un joven amigo en quien confíe o con algún enamorado que tenga sus mismos valores.

Rebecca también evita estar a puertas cerradas con un chico. Si está en una situación donde esté sola con un hombre por más de un breve período, abre la puerta para evitar cualquier malentendido.

Resplandeciente de virtud

Esto quizá parezca una norma poco realista, dado que el mundo en que vivimos lo es. Un ejemplo de normas mundanas (o impías) es la forma de vestir y actuar de las jóvenes en los recientemente popularizados espectáculos de televisión. A fin de captar la atención de millones de televidentes o ganar audiencia, se visten de manera escandalosa y seducen a los muchachos que terminan cayendo en la trampa de la lujuria.

La conducta y el estilo de vida virtuoso de Rebecca contrastan con lo que esta clase de programas y otros mensajes del medio intentan presentar como «normal». Y esto es lo que hace que Rebecca se destaque como una verdadera Ester de nuestros días y que sea un refrescante contraste de lo que la cultura popular define como la norma. Cuando consideras esto, ser modesta y vivir de forma honorable no ha dañado para nada los índices de audiencia de Rebecca. En lugar de disminuir debido a su compromiso de vida virtuosa, ¡los récords de venta y el número de personas que asisten a sus conciertos solo han crecido! El favor de Dios es evidente en su vida y ministerio.

Demasiado a menudo, sin embargo, hasta las jóvenes cristianas reflejan más el mundo impío que a Cristo. Por eso, en vez de unirnos a las obras de las tinieblas y reflejar este mundo impío, deberíamos reflejar el carácter de Cristo a través de la luz de nuestro estilo de vida puro. De ese modo te inspirarás a resplandecer de virtud y a crecer en el favor de Dios. Recuerda, como Jesús mismo describe en Juan 8:23, que se supone que estemos en este mundo, pero que no seamos de este mundo.

> No tengan nada que ver con las obras infructuosas de la oscuridad, sino más bien denúncienlas.
>
> EFESIOS 5:11

Bajo la protección de los seres queridos

Mientras la mayoría de los jóvenes no ven la hora de salir de debajo de la mirada protectora de mamá y papá, Rebecca decide añadir seguridad de vida dentro de la protección física y espiritual del hogar de sus padres. Cuenta la historia de su corta experiencia vivida al «andar por su cuenta». Se compró una casita, la arregló y se sentía emocionadísima por desplegar sus alas. Sin embargo, al poco tiempo se sintió vulnerable. Después de varios meses, decidió regresar al hogar con sus padres.

Rebecca piensa que mantenerse cerca de los amigos y la familia es también importante para las parejas de novios. Es más, cree que las parejas van rumbo a la zona de peligro cuando pasan demasiado tiempo solos.

Por un lado, la relación quizá llegue a sobrecargarse de emociones antes de que tengan la oportunidad de conocerse el uno al otro. Además, la tentación sexual es mayor cuando a una pareja le falta la protección natural que brindan los grupos. Y como el objetivo de ese tiempo de citas desinteresadas sirve para determinar si la pareja puede proseguir rumbo al matrimonio, la opinión de la familia y de los amigos que observan la manera en que se relacionan entre sí es muy valiosa.

Otra manera en que Rebecca se coloca bajo la protección de otros es teniendo una mentora para conversar esa clase de cosas que no se anima a comentar con otros adultos que la rodean. Rebecca siente que el Señor la guió hacia su consejera, una señora de mediana edad, con quien conversa a menudo. Como vive en otro estado, ese intercambio de información acerca de la vida de Rebecca y los momentos de oración se producen por teléfono. Rebecca también considera a su abuela una mentora. Debido al fallecimiento de su abuelo hace casi diez años, Rebecca ha realizado varios viajes junto a su abuela. Rebecca disfruta del tiempo con ella y desea recibir la influencia de su vida.

TRES PREGUNTAS IMPORTANTES

A fin de determinar si algo es bueno o malo en una relación romántica, como la siempre popular pregunta «cuán lejos es demasiado lejos», Rebecca se hace estas tres preguntas:

1. ¿Se siente feliz Dios con lo que estoy haciendo o considera que esta relación es impura?
2. ¿Me sería difícil explicarle esto a mi futuro esposo si *este chico* no es él?
3. ¿Me sería difícil explicarle estos actos a mis futuros hijos?

En su libro *Wait for Me*, Rebecca explica más estas tres preguntas. Quiere que cada esfera de su vida glorifique a Dios y está comprometida a honrar su futuro esposo *ahora*, incluso antes de saber quién es. «Uno de los regalos que ya puedo prepararles a mis futuros hijos es mi pureza:

mostrándoles que he amado y respetado a su padre al serle fiel antes de conocerlo[7].

Rebecca no cree, sin embargo, que toda interacción física en una relación romántica sea mala o que deshonraría a su futuro esposo si no termina casándose con esa persona. Rebecca explica cómo guarda su compromiso de pureza mientras está en la etapa de una relación romántica previa al compromiso o matrimonio:

> No soy partidaria de la línea que desalienta cualquier tipo de contacto físico (a menos que uno tenga la convicción personal de parte de Dios). Según mi experiencia personal, uno puede tener cierta demostración física limitada (tomarse de la mano, un brazo sobre el hombro, etc.) y así experimentar el amor y el gozo de Dios. Nuestro amoroso Padre celestial nos ha dado la habilidad de disfrutar la presencia del otro y parte de ese gozo se expresa mediante el contacto físico... ¡hecho de manera piadosa! Aun así, hay que ser muy cuidadosos de ser puros en las acciones y los pensamientos. Si tuviste una experiencia anterior de caer en la espera física, ten mucho cuidado, establece y respeta tus límites, y no te pongas en situaciones vulnerables[8].

Debido a las convicciones personales y a la plataforma pública de Rebecca sobre la pureza, un joven tiene que ser cristiano, fiel y consagrado, antes de que ella siquiera considere salir con él. Por un lado, desde un principio en la relación le habla al chico sobre los límites que ha colocado a fin de asegurarse que no hay cabida al compromiso sexual. Al presentar sus normas de integridad hace dos cosas:

- Aleja a aquel que no está de acuerdo en llevar adelante una relación con los límites que puso.
- El joven no se siente herido ni rechazado si comienza a expresar sus sentimientos de una manera que lo haría con muchas otras chicas, pero que con Rebecca estaría pasándose de la raya.

A esta altura quizá te preguntes si en realidad hay chicos consagrados y comprometidos con la pureza. Rebecca me comentó que justo cuando comenzó a sentirse desanimada al respecto, se encontró con un joven piadoso que está consagrado a Dios de todo corazón y comprometido con la pureza.

Hace poco, se sintió animada por un muchacho que se acercó a hablarle después de uno de sus conciertos. Cuando le dijo que era maravilloso que tuviera ese compromiso a ser pura, Rebecca sintió como que era la manera en que Dios le recordaba que existían jóvenes que sentían y creían lo mismo que ella. Es más, cuando él le comentó que la mayoría de las chicas con las que se relacionaba no tenían interés en un muchacho comprometido con mantener la pureza ante Dios, se dio cuenta de que ese encuentro era en realidad alentador para ambos.

> *«Este chico me dijo que a menudo le parecía que las muchachas ni siquiera deseaban un hombre comprometido con la pureza».*

Sin embargo, Rebecca (¡y es probable que tú también!) se ha dado cuenta que no todos los muchachos están tan consagrados a Dios como este joven parecía estarlo. Reconoció que la mayoría de las veces son las chicas las que terminan llevando adelante la responsabilidad de mantener la pureza sexual en la relación. Esto le ha sucedido en algunas citas, lo que la ha decepcionado al descubrir que el muchacho no tomaba la iniciativa en cuanto a la pureza.

Y Rebecca no cree el argumento de que la naturaleza de los hombres les sirve de excusa para andar tras sus deseos sexuales, como si su defensa sea simplemente que es «biológica». Hasta se ofende cuando la gente va a verla después de un concierto y les da las gracias por su mensaje a las *chicas* sobre la pureza sexual. «Siento el irresistible impulso de tomarlos del brazo y decirles: "Vamos, no solo les hablaba a las chicas. Les estoy hablando a los muchachos y a las muchachas"». La misma semana en que conversamos Rebecca y yo, ella tuvo la oportunidad de recalcar esto cuando un periodista que la entrevistaba comenzó a sugerir que la pureza solo es responsabilidad de las chicas. Rebecca enseguida lo interrumpió y le dijo: «¿Sabes qué? Este asunto no es exclusivo de las chicas. Es importante que tanto chicas *como* chicos se comprometan con la pureza».

Lo romántico de esperar hasta el matrimonio

Rebecca afirmó sin ninguna duda que jamás había estado en la situación de verse tentada a tener relaciones sexuales. Así es... *jamás*. Si consideramos la alta motivación sexual de nuestra cultura, ¿cómo esto es posible a los veinticinco años de edad? Según Rebecca, esto es posible gracias a que se mantiene dentro de los límites que ella misma ha colocado y que ahora nosotros también conocemos.

¿Desea casarse algún día? ¡Por supuesto! Sin embargo, también aprecia la bendición de ser soltera. De esta manera puede concentrarse en Dios y en su llamado al servicio y puede dedicar más tiempo a la relación con familiares y amigos.

Soñar con él

La bendición de la pureza es el plan perfecto de Dios para nuestras vidas, un plan que tiene la intención de darnos gozo y un máximo de satisfacción, en lugar de dolor y desilusión.

Si vivimos en obediencia al llamado de Dios por pureza, no existe barrera de pecado que impida que el favor, la bendición y la presencia de Dios saturen nuestra vida. Además, el mantenernos puros hasta el matrimonio prepara el camino para que Dios al final bendiga nuestra expresión física de amor a nuestro cónyuge de una manera maravillosa.

Imagina por un instante tu noche de bodas. Imagina tu luna de miel, esa para la que tú y tu flamante esposo han reservado ese precioso regalo de la intimidad, la cual se darán el uno al otro. Ninguno tiene expectativas preconcebidas sobre cómo será esa experiencia. No vendrán a la mente las imágenes de antiguas experiencias sexuales que te distraigan o que impidan la libre manifestación de amor entre ambos. Ninguno conoce el cuerpo ni la manera de hacer el amor de otra persona para establecer comparaciones.

> *Vale la pena esperar y luchar por la intimidad pura... por el romance puro.*

Ambos esperaron, y *lucharon*, por esta intimidad pura, por este romance puro, por este amor virginal. Todo lo que saben acerca de la intimidad física es lo que van a experimentar juntos.

Rebecca cree que llegará el día de su boda. Conserva la promesa que Dios le ha dado de que en algún momento de su vida, Él le dará un esposo.

Y mientras espera por su marido, sueña que *él también la espera a ella*. Soñar con él la ayuda a guardar su pureza. Incluso le escribe cartas de amor, mientras sueña con el puro romance que les aguarda, mientras sueña con el día en que se encontrarán para completar su viaje juntos hacia el matrimonio, mientras sueña con el día cuando le entregará las cartas que le ha escrito a través de los años en que lo esperaba y soñaba... con él.

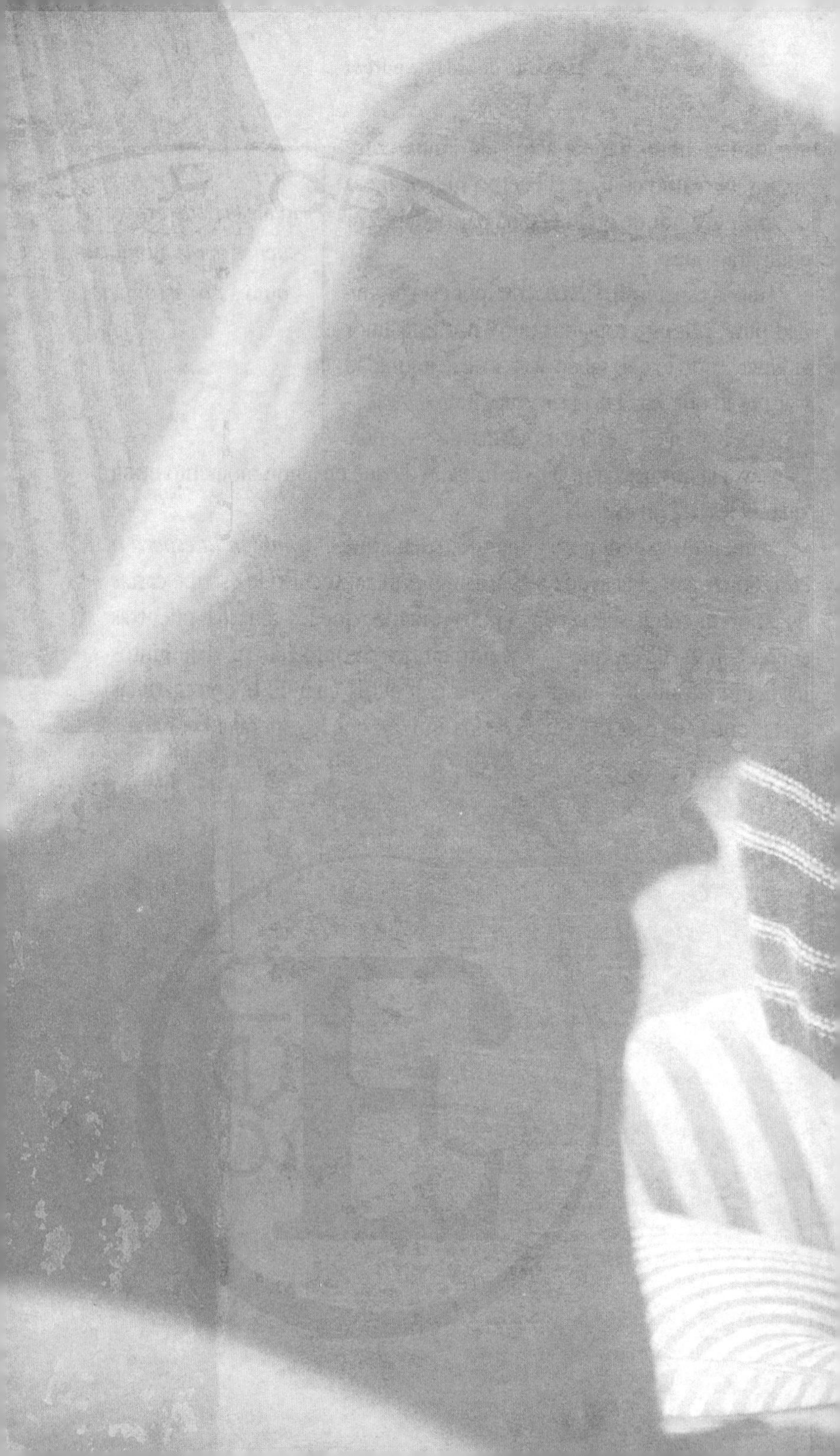

capítulo cuatro

Belleza interior

meghanrowe

No hay duda de que la apariencia física de la Ester de la Biblia hacía que se volvieran a mirarla. Esta joven fue bellísima por naturaleza, descrita como que «tenía una figura atractiva y era muy hermosa» (Ester 2:7). Desde luego que no habría captado la atención de los ayudantes del rey si no hubiera tenido belleza exterior.

Sin embargo, fueron las otras cualidades de Ester, su belleza *interior*, las que al final la distinguieron. Se ganó el favor y la aprobación de Jegay, y hasta del mismísimo rey porque era íntegra. Ester era atractiva, por supuesto, pero también era obediente, respetuosa, fiel y valiente. Era una joven que tenía mucho para ofrecer.

Muchas jóvenes de hoy, por otra parte, creen que tienen muy poco que ofrecer. Quizá tú seas una de ellas. A lo mejor sin siquiera darte cuenta, te has tragado las mentiras que promueve nuestra cultura: que la imagen lo es todo, lo que importa es la apariencia, y si no eres guapa, no eres nadie.

A Meghan Rowe lo describe.

El hombre elefante

Meghan creció con los problemas normales de las chicas, más otro adicional. Sufre de neurofibromatosis, un trastorno genético progresivo que acarrea una amplia gama de serios problemas de salud tales como: tumores, cambios en la piel, deformidad de huesos, desfiguración, ceguera, sordera, pérdida de las extremidades y problemas de aprendizaje.

Por fortuna, la neurofibromatosis de Meghan no ha sido tan grave. Le extirparon un tumor de la columna cuando tenía ocho años y también la operaron de los pies. Fuera de algunos pequeños bultos que le aparecieron en el rostro, su enfermedad no era tan evidente para el resto. Sin embargo, cuando sus compañeros de escuela lo descubrieron, comenzaron a acosarla sin misericordia y a decirle «hombre elefante» y cosas humillantes por el estilo.

Para cualquier niña es difícil luchar con la autoestima durante la infancia, pero para Meghan fue una batalla perdida. Se sentía anormal y enojada.

«En realidad, consideraba que era del todo injusto», recuerda. «No había hecho nada para merecerlo, entonces, ¿por qué pasarme? Tenía que ir a cada rato al médico para hacerme cosas como la tomografía axial computerizada (TAC) y exploraciones de Resonancia Magnética y las cirugías que eran en verdad dolorosas. Estaba enojada por no poder ser como las otras niñas».

Una nueva perspectiva

El enojo comenzó a desaparecer cuando Meghan tenía catorce años. Se crió en una familia católica, pero ese verano un consejero llamado Michele guió a la jovencita a tener una relación personal con Cristo. Poco a poco el enfoque de Meghan comenzó a cambiar, aunque seguía sin comprender por qué Dios permitía esa enfermedad en su vida.

Meghan aceptó a Cristo cuando era una adolescente, pero no fue hasta que cumplió los veinte años que comenzó a crecer en su fe. Junto con ese crecimiento llegaron nuevas perspectivas, como darse cuenta de que la verdadera belleza no tiene nada que ver con la apariencia física de una persona.

«Dios me ha demostrado que la verdadera belleza proviene del interior, directo del corazón», me dijo Meghan hace poco. «Puedes tener el físico más bello del mundo, pero si careces de belleza interior, no sirve de nada. Además, nuestro cuerpo es algo temporal mientras que nuestro espíritu es lo que durará por siempre».

Meghan también se dio cuenta de que, como Dios lo hizo con Ester, también la preparaba a ella para que en cierto momento cumpliera determinado propósito que iría más allá de sus posibilidades.

«Ahora comprendo que Dios no nos da algo que no podamos manejar y que sin duda tiene un motivo para lo que hace», dice Meghan. «Me eligió porque puede usarme. Creo que permitió que yo padeciera esta enfermedad porque puedo ayudar a otros que la padecen. Sé lo que es crecer con esto, que te martiricen y te hagan a un lado, y creo que eso me hace ser compasiva con otras personas que sufren lo mismo. Dios ha puesto en mi corazón el deseo de ayudarlos».

La experiencia agridulce de vivir con una deformidad física le ha dado a Meghan una belleza interior que no habría logrado de otra manera. Muchas veces son los desafíos que enfrentamos los que desarrollan esa belleza interior que se manifiesta en compasión, humildad, objetividad y gracia. Meghan desarrolló el carácter de Dios en ella a través de esta dolorosa experiencia y eso hace que sea una chica muy atractiva.

La verdadera Meghan

A decir verdad, la mayoría de nosotras alguna vez fantaseamos con la posibilidad de cambiar nuestra apariencia. ¿Acaso alguna vez no soñaste con el cuerpo perfecto o una piel de seda, o te preguntaste cómo te verías con ojos azules en vez de marrones? Quizá hasta ya te cambiaste el color de tu cabello de castaño a rubio (¿o violeta?).

Es muy fácil obsesionarse con el aspecto exterior, en especial en esta sociedad enloquecida por la imagen. Sin embargo, creo que Dios tiene planes más importantes para nuestra manera de invertir nuestra mente y nuestro tiempo. Él quiere que prestemos atención a nuestro ser interior, a los dones y pasiones de nuestro corazón que Él mismo puso en nosotros. Creo que no hay nada que le complazca más que acudamos a Él para pedirle que nos muestre cómo desea que usemos esos dones y deseos.

Eso es lo que hace Meghan. Cada vez más busca, y descubre, respuestas de maneras en que Dios desea que use su pasión por ayudar a las personas. Por ejemplo, cuando se enteró que habría una carrera de media maratón en su ciudad natal, Virginia Beach, para reunir fondos con fines investigativos en cuanto a su enfermedad, llamó para ofrecerse como voluntaria. Luego de pensarlo y de entrenarse un poco, decidió anotarse en la competencia. Entonces la llamaron los organizadores de la carrera con un pedido: ¿Estaría dispuesta a conseguir patrocinadores y aportes? Meghan respondió en forma afirmativa.

No obstante, el proceso de concienciar y buscar fondos no fue sencillo para Meghan. Durante años había intentado ocultar su condición, temerosa de sufrir rechazo o un trato diferente si lo sabían. Cuando llegó el momento de «hacerlo público» a través de un mensaje de correo electrónico en el que explicaba lo que hacía, tuvo una lucha interior.

«Sufrí mucho antes de enviar ese mensaje», relata Meghan. «Sentía miedo de contarle a todo el mundo sobre esto debido a las malas experiencias del pasado. Creo que pasó una larga media hora antes de que me animara a oprimir el botón de «enviar». Sin embargo, cuando lo hice, de inmediato comenzaron a llegar las respuestas. Fue emocionante ver lo dispuestos que estaban todos a colaborar».

Meghan se sintió liberada al revelar su condición a sus amigos y un propósito aun mayor para su vida al lograr una mayor toma de conciencia en la población acerca de la neurofibromatosis y al conseguir fondos para financiar las investigaciones. Además, logró finalizar la carrera de más de veinte kilómetros sin sufrir daños (¡muy bien, chica!). Sin embargo, esas no han sido las únicas maneras de su respuesta al llamado de Dios para su vida.

La princesa de Dios

Una ex pianista y ocasional guitarrista, ahora Meghan canta en el grupo de alabanza de su iglesia. También se reúne con dos grupos pequeños de mujeres donde encuentra oportunidades increíbles de brindar apoyo y de ser bendecida por sus cariñosas amigas cristianas.

Meghan también está muy activa en ORPHANetwork, una organización sin fines de lucro que se dedica a ayudar a los huérfanos de Nicaragua y Ucrania. Hace poco realizó su primer viaje misionero de una semana al orfanato de Nicaragua. Describe su experiencia con esta organización como «una bendición al ver lo que hacen en la vida de esos niños. Ha sido de enorme bendición para mí también».

Lo que considero una bendición es escuchar cómo Meghan ha comenzado a valorarse según lo que Dios ve en lugar de lo que ve el mundo. Meghan se parece a Ester en que es una joven perteneciente a la realeza, una princesa miembro de la corte de Dios.

«Jamás hubiera pensado que soy una princesa», afirma Meghan, «pero como Dios es rey y nosotros somos sus hijos, eso es lo que somos en realidad. Él nos ha dado dones a cada uno de nosotros y estoy descubriendo cuáles son los míos y cómo ponerlos en práctica».

Meghan se siente muy agradecida de que Dios profundice su fe y abra sus ojos a los propósitos que Él tiene para su vida. Ella desea animar a las Ester de nuestros días, a jóvenes como tú, para que descubran su verdadero valor y sus dones y que decidan vivir por la fe radical.

«Hay que ir contra la corriente», dice ella. «La sociedad quiere que te preocupes por tener bien el cabello, la ropa adecuada, el novio perfecto, un buen automóvil y la vida no se trata de eso. Es cierto, quizá pierdas amigos si no vas a fiestas, si no bebes ni tienes relaciones sexuales con tu novio y esa clase de cosas. Sin embargo, creo que lo importante es que la gente vea algo distinto en tu vida, y eso «distinto» es la obra de Dios por medio de ti. Si tratas de seguirlo con sinceridad, Él va a bendecir tu vida de maneras que jamás podrías imaginar.

Belleza de lo íntimo del corazón

Dios bendice hoy a Meghan y obra por medio de ella en forma notable. Irradia belleza interior. Su vida refleja las palabras del apóstol Pedro: «Que su belleza sea más bien la incorruptible, la que procede de lo íntimo del corazón y consiste en un espíritu suave y apacible. Esta sí que tiene mucho valor delante de Dios» (1 Pedro 3:4).

¿Notaste lo que dice? *Mucho valor*. Así es como Dios ve la belleza interior. Es también lo que piensa de ti. Mira a través de tu apariencia exterior a tu bello ser interior, tu *verdadero* yo, aquel que Él imaginó y diseñó antes de que nacieras. Mientras más tiempo dediques a cultivar una relación íntima con el Señor, más te revelará los dones que te ha dado y los planes que tiene para tu vida.

Como Meghan y Ester, tú también descubrirás una vida de belleza... de dentro afuera.

capítulo cinco

Escogida para distinguirse

lisabevere

Para Lisa, durante los tres primeros años en la universidad de Arizona, el recorrido de una clase a otra era una gran actividad social. Se encontraba con sus amigos y comentaba de su último enamorado o sobre la fiesta de la noche anterior. Solo en el segundo año, Lisa salió con la friolera de cuarenta y cinco muchachos, y le encantaba alardear de eso. Sin embargo, la realidad indica que toda esa atención masculina llegó como consecuencia de una situación drástica para Lisa...

Cuando tenía cinco años, sufrió el rechazo y que la llamaran «cíclope». Los médicos se vieron obligados a extirparle el ojo derecho cuando descubrieron que tenía cáncer y que quizá le quedaban solo seis meses de vida si no tomaban una drástica decisión. Cuando Lisa regresó a la escuela, lucía un parche que cubría la cavidad ocular. Los chicos se burlaban y ella se veía como una pirata. Enseguida esta pequeña de cinco años se sintió increíblemente fea, deforme y antinatural.

Al final de las clases, en cuanto sonaba la campana, Lisa corría hacia su casa para llorar en la falda de su madre. ¿Por qué Dios permitió que perdiera un ojo? ¿Por qué permitió que tuviera cáncer? ¿Por qué no podía ser como las demás niñas? ¿Por qué tenía que ser tan diferente? Con cada día que pasaba, crecía el enojo de Lisa por su situación. Incluso albergaba resentimiento contra Dios debido al cáncer.

Ocultar la diferencia

Lisa siguió soportando la tortura en la escuela incluso cuando tuvo un ojo artificial. En esa época, los ojos artificiales eran muy obvios. El ojo sobresalía y los chicos siguieron poniéndole apodos, como «un ojo» o «cíclope». «Me sentía como si fuera un enorme ojo artificial con piernas que transitaba por los pasillos de la escuela», me dijo Lisa.

A veces los muchachos se burlaban de ella diciéndole que si no hubiera perdido el ojo sería una de las chicas más lindas de la escuela. Esos comentarios de doble sentido la hacían sentirse todavía peor. «Me decía: "Está bien, ¿acaso se supone que eso me haga sentir bien?».

Con cada día que pasaba, crecía el enojo de Lisa por su situación.

Trataba de ocultar la anormalidad peinando el cabello hacia la izquierda; sin embargo, el cabello que cubría el ojo artificial solo hacía que este se notara más. Encorvar los hombros e inclinar la cabeza hacia la derecha tampoco ayudaba a esconder la prótesis.

Cuando sacaron la fotografía escolar, Lisa quedó petrificada de miedo por cómo se vería la de ella. Ya no soportaba el nerviosismo cuando al fin le entregaron las fotos. Cuando Lisa observó su imagen, solo veía una cosa: el ojo, el gigantesco ojo de plástico, sobresaliendo para anunciar que era espantosamente diferente a los demás niños.

Las chicas «duras» no salen lastimadas

Junto con todo esto, el padre de Lisa la relegó muchísimo después que le extirparon el ojo. Cuando le prestaba atención, se dirigía a ella como «tigre» o «pequeña luchadora» y le decía que estaba orgulloso de ver cómo se mantenía firme como una campeona. Ya desde la escuela primaria, Lisa comenzó a ocultar su corazón herido tras una imagen de «chica dura», lo que la ayudaba a escudarse del dolor que le causaban los apodos que le ponían los chicos.

Al principio, ser ruda y dura era una manera de manifestar un poco del odio que había desarrollado contra Dios y contra la gente que la rechazaba. Sin embargo, cuando estaba en quinto grado, vio una película de James Bond donde descubrió un tipo diferente de chica ruda: la mujer Bond era seductora, calzaba diminutos pantalones cortos y llevaba un arma, jamás salía herida, siempre controlaba la situación y tenía un hombre al lado, al menos por una noche. Lisa se convenció de que esa era una imagen tras la cual podía esconderse, una manera de sentirse segura.

Enseguida descubrió el poder de la vestimenta seductora. Durante un encuentro de motivación en el que tenía que cantar unos versos de «California Girls» dentro de una obra, decidió que la mejor manera para ocultar su temor a presentarse delante de todo el cuerpo estudiantil era vestirse como una chica Bond. Los muchachos de la tribuna enloquecieron cuando Lisa apareció en el escenario con las botas de cuero de su mamá que le llegaban hasta la rodilla, unos minúsculos pantalones cortos negros y un jersey ajustado mientras cantaba: «Las chicas del norte besan de tal manera que mantienen a sus novios calentitos en la noche». Aunque Lisa se esfumó tras bambalinas luego de ese incidente, se dio cuenta de que ser una chica ruda le daba poder.

Solicitada de repente

Cuando Lisa abandonó su hogar paterno en Indiana para ingresar a la universidad en la soleada Arizona, un chico tras otro coqueteaba con ella y la invitaba a salir. Fue cuando en realidad comenzó a *disfrutar* de ser sexualmente atractiva para los muchachos. En especial, le encantaba entusiasmar a los chicos y dejarlos antes de que tuvieran la oportunidad de descubrir el secreto que ella esperaba haber dejado atrás en su vida anterior en Indiana: que en lo profundo de su ser no era una persona *divertida* ni *controlaba* la situación.

Estos muchachos tenían en un segundo plano su ojo artificial. Aun así, como Lisa se seguía sintiendo una perdedora, en el preciso instante en que sentía que se involucraba un poco más, lo dejaba plantado. Estaba decidida a no permitir que ni uno solo de los treinta y siete mil alumnos de la universidad descubriera que al final ella no era «gran cosa» después de todo.

Otra manifestación de la inseguridad de Lisa respecto a su apariencia era la obsesión que tenía con el peso. Esa obsesión se convirtió en anorexia. Dejaba de comer y tomaba laxantes y diuréticos en una batalla que duró años.

Aunque en su interior se sentía insegura, Lisa seguía buscando la popularidad. Se involucró en un club femenino de estudiantes previo a su primer año donde enseguida se ganó la reputación de ser una chica divertida. Se juntaba con un grupo salvaje y a los diecinueve años de edad perdió su virginidad con un hombre de veintisiete que buscaba a estas chicas novatas en los lugares nocturnos que frecuentaban. Durante meses socavó la resistencia de la joven hasta que al final esta cedió por completo a su seducción. Regresó a casa durante el verano para escapar del dominio de este hombre.

Aun cuando Lisa se esforzaba muchísimo por controlarlo todo, su condición social, su entorno, su impresión en otros, su vida parecía dar vueltas fuera de control.

Una diferencia abismal

Entonces, todo cambió. Durante el verano, Lisa escuchó por primera vez acerca de cuánto Dios la amaba y la deseaba. Abrumada por ese amor incondicional, Lisa entregó su vida a Cristo y pasó a ser una nueva persona. John, el joven que se tomó el tiempo de hablarle del amor de Dios, era muy diferente a los muchachos que Lisa había conocido y, al final, llegaría a ser su esposo.

Cuando regresó a la universidad para cursar el último año, las chicas de su club notaron de inmediato algo distinto en ella. En cuanto traspasó la puerta de la casa del club, la bombardearon a preguntas: «¿Qué te hiciste que te ves tan bien?». «¿Perdiste peso?» «¿Te cortaste el cabello?»

«No...», respondió Lisa. «Me convertí en cristiana mientras estuve en mi casa».

Esta afirmación fue recibida con gemidos, miradas de fastidio y bostezos. A Lisa le resultó evidente que sus compañeras no veían la hora de que cambiara de tema, pero Lisa sentía que era importante darle el crédito a Jesús por su felicidad y el cambio que sus compañeras veían en ella.

«Yo estaba muerta, pero ahora tengo vida plena», continuó Lisa. «Y ya no tengo más problemas de trastornos alimenticios. Dios incluso sanó el daño que le había causado a mi estómago». El cambio que Cristo había producido en la vida de Lisa era auténtico. Su sanidad y nueva visión de la vida eran testimonio del poder sanador de Dios.

Para aprender más sobre cómo Lisa Bevere venció su trastorno alimenticio y comprender más sobre el amor de Dios por ella, revisa su libro «You Are Not What You Weigh».

Otro tipo de rechazo

Lisa era otra persona ahora. Mientras transcurría su último año de estudio, la mayoría de sus amigos de fiestas no ocultaban que la preferían bebedora, salvaje y yendo de un muchacho a otro. Ahora ya no es tan «divertida» como antes. Las muchachas que solían ser sus amigas, se levantan y se van cuando ella se sienta a su lado para almorzar. A Lisa le vienen los recuerdos de los años en que padeció el rechazo o los apodos de los niños de la escuela.

Sin embargo, esta vez es diferente. El rechazo que padeció de niña se debió a una diferencia que estaba fuera de su control: su ojo artificial. Ahora la rechazan porque ella *eligió* ser diferente. Junto con su conversión había decidido ser distinta. No solo quería ser diferente a los no cristianos, sino que quería ser distinta a sus compañeras de su club que ocultaban con cuidado su condición de cristianas, pues así se consideraban.

¿Cómo era posible que tratara a estas muchachas durante tres años y recién ahora descubría que eran cristianas?

Vivir con su nueva fe fue duro al principio. Lisa sentía la presión de no ser diferente de manera radical; es decir, de no ser *tan* distinta que los no cristianos que rechazaran de plano el cristianismo. Incluso iba a algunas fiestas como para probar que uno podía ser cristiano y seguir siendo divertido. Sin embargo, como ahora no se emborrachaba, toda la fiesta le parecía absurda. Lisa era una cristiana recién convertida y todavía no sabía bien qué era lo bueno y qué no lo era. Ni se imaginaba de que pronto se enfrentaría a una decisión: la de esconderse tras una máscara para evitar la humillación o responder al llamado de distinguirse para Dios.

Un salto por Jesús

A Lisa la tomó por sorpresa su momento decisivo con el destino durante la primera semana de clases. Parecía un día normal cuando se sentó junto a sus compañeros en la enorme sala de conferencias a esperar la llegada del profesor. De pronto, se escuchó que gritaban el nombre de Lisa tan fuerte que los doscientos estudiantes pudieron oírlo.

Sintió que se le paralizaba el corazón.

El presidente del cuerpo estudiantil la llamaba desde la primera fila: «¡Oye, Lisa! ¿Es cierto lo que escuché que ahora te pasaste al bando de Jesús? ¿Estás cambiando por Jesús? Bueno, ¡no lo vamos a permitir! ¡Te raptaremos para llevarte con nosotros a una noche de sexo, drogas y alcohol!»[1].

Lisa estaba en una encrucijada: o bien defendía su fe o retrocedía con temor.

¿Pasaba esto en realidad? El corazón de Lisa comenzó a latir tan fuerte que parecía que iba a salírsele del pecho. «Me sentía aterrorizada por completo. Hubiera querido decir que tenía verdadera paz y que sentía que esto era en verdad emocionante; pero el desafío vino cuando menos me lo esperaba. Y ocurrió en un ámbito que estaba fuera de mi control. Pensé: *Sin duda Dios no quiere que esté avergonzada*».

Entonces, Lisa reconoció que esta era una oportunidad para proclamar su fe en público. Este era su «momento Ester», el «momento «Ajá... Ah, no», cuando se vería obligada a tomar una decisión. ¿Aceptaría su fe y les hablaría a otros de ella aunque le costara su reputación? ¿O se escondería detrás de sus temores?

Lisa pudo observar que todos o bien la miraban o trataban de descubrir a quién se dirigía el presidente del cuerpo estudiantil. Se sintió inundada por una ola de terror y vergüenza. Algunos de sus compañeros se reían y asentían con la cabeza en su dirección.

Justo antes de responder al desafío del presidente su mente volaba. Lisa estaba en una encrucijada.

¿Acaso no sería más sencillo para todos si se hundía en su silla y se quedaba a solas con la vocecita que susurraba en su cabeza: *Tú no quieres que él piense que los cristianos no se divierten, ¿verdad? Vamos, no quieres que él crea que una persona tiene que estar ya consagrada a Dios... Uno puede ser cristiano y también tener el mundo*.

Sin embargo, Lisa no quería ser una cristiana encubierta. Justo esa semana les había preguntado a varias compañeras del club: «Si ustedes han sido cristianas durante todos estos años en que hemos sido amigas, ¿cómo es que yo no lo sabía?». Lisa estaba convencida de que quería ser una auténtica cristiana, más de lo que antes fue pagana. Mientras Lisa pensaba cómo responder, un pasaje de las Escrituras vino a su mente:

> «A cualquiera que me reconozca delante de los demás, yo también lo reconoceré delante de mi Padre que está en el cielo. Pero a cualquiera que me desconozca delante de los demás, yo también lo desconoceré delante de mi Padre que está en el cielo».
>
> MATEO 10:32-33

Aunque hacía solo seis semanas que era cristiana, Lisa reconocía que el Espíritu del Señor era el que la impulsaba mediante esas palabras que traía a su mente. Antes de que tuviera tiempo siquiera de dar otra opinión, se dio cuenta de repente que ya estaba de pie. Y doscientos pares de ojos se fijaron en ella, esperando su respuesta.

Ya estaba. Llegó el momento de distinguirse para el Señor. Miró con fijeza a los ojos al presidente del cuerpo de estudiantes y anunció con calma: «Es cierto». Y con esa declaración, saltó en el lugar para asegurarse de que lo habían comprendido.

El presidente, y casi todos los demás, rompieron a reír. Ella se sentó, no tan calmada y serena como parecía estarlo cuando literalmente «saltó por Jesús». En realidad, el temblor que la recorría por dentro se manifestó por fuera. Desde el momento en que el profesor entró a la sala hasta que la clase finalizó, Lisa permaneció atenta, a la espera de una oportunidad para escapar del auditorio.

Otros observan

Lisa no estaba tan segura de que el episodio de ese día en clase hubiera servido de mucho para inspirar a otros a saltar por Jesús, pero sabía que ahora tenía la responsabilidad ante muchas personas que la observarían para comprobar si su vida reflejaba la afirmación que había hecho. «No me sentía como que hubiera hecho algo de suma importancia; pero estaba segura de que me había revelado y me había colocado donde necesitaba estar».

Lisa reconoció que los chicos del campus la retarían una y otra vez, ya sea al burlarse de ella o al tratar de apartarla de su posición en Cristo. La mayor parte del enfrentamiento provenía de quienes fueron sus amigos. En vez de hacer lo más sencillo que era sumirse de nuevo en las sombras, Lisa decidió estar siempre lista para defender su amor por el Señor.

> Calladamente encomiéndense a Cristo su Señor, y estén listos a responder amable y respetuosamente a cualquiera que les pregunte por qué tienen tal fe.
>
> 1 Pedro 3:15, LBD

La gente observaría a Lisa, esperando ver cómo iba a vivir ahora como cristiana, así que decidió usar esto a su favor. Los consideró como un enorme grupo ante el cual rendir cuentas. Muchos en el campus conocían a Lisa como una fiestera desenfrenada; ahora quería que la conocieran como una cristiana apartada para Dios y sus propósitos.

En cuanto al presidente del cuerpo estudiantil, no volvió a molestarla. Al ver que Lisa estaba tan comprometida a permanecer tan firme para Cristo que incluso era capaz de soportar la humillación de ser necesario, se hizo a un lado.

Sin duda, no fue un semestre fácil para Lisa. Pasó la mayor parte del tiempo sola y se sentía un poco aislada. Dios y su Palabra eran a menudo sus únicos compañeros. «Al principio no entendía lo que hacía Dios. Me preguntaba: *¿Por qué estoy tan sola?*» Lisa comenzó a ver el propósito divino con claridad a medida que se adentraba en el libro de Ester. «Podemos ver que el tiempo de preparación de Dios es nuestro tiempo de aislamiento de los hombres. Ester estuvo aislada y, sin embargo, no se debía al rechazo, sino a la preparación.

»Dios comenzó a decirme que me había separado para Él, no para el ministerio. Él deseaba todas las esferas de mi vida. No era cuestión de decir: "Ya soy salva... y listo". Dios me decía: "Ahora que eres salva, quiero separarte y santificarte. Deseo que cada esfera de tu vida esté bajo mi cuidado"».

Lisa ansiaba poder contar con esas amigas doncellas sobre las que había leído en el libro de Ester, pero no pudo hallar a ningún amigo que fuera fiel cristiano en el campus. A decir verdad, dos de sus pocas amigas cristianas quedaron embarazadas fuera del matrimonio, de manera que no eran buena influencia para una recién convertida que deseaba aprender a vivir según la voluntad de Dios. Si bien no contó con amigas doncellas cercanas durante su etapa de crecimiento, Dios puso en el corazón de Lisa el deseo de contar con ellas, deseo que se satisfizo más adelante.

Cuando Lisa caminaba por el campus, recibía miradas que parecían decir: «Sabemos quién eres en realidad. Dentro de no mucho tiempo volverás a ser uno de los nuestros», o «Vamos... ¿No has tenido bastante de toda esta cosa acerca de Dios? ¿No es hora de que vuelvas con nosotros?». La vida social de Lisa era una gran parte de su ser. Antes, su vida social era una inmensa parte de lo que era. Sin embargo, ahora estaba sola. «En esos años elegí a los hombres equivocados y a los amigos equivocados. Mis amistades eran las que había desarrollado cuando era una chica de ir a las fiestas», comenta Lisa. «Era mi mayor ídolo y debía aniquilarlo».

Lisa aceptó algunas citas durante ese semestre e incluso trató de testificar y estudiar la Biblia con los muchachos con los que antes tuvo intimidad. Sin embargo, eso no duró. Se dio cuenta de que tenía que quitarlos de forma definitiva de su vida. A pesar de sus esfuerzos por desligarse de las ataduras emocionales que la ataban a estos muchachos, estaba tan involucrada que le tuvo que pedir al Señor que rompiera esos lazos que ella sola no podía romper. Lisa también decidió dejar de lado las películas, la música, los libros y demás elementos que podrían despertar en ella emociones y pensamientos perniciosos que en algún tiempo controlaron su vida.

El descubrimiento de la verdadera fortaleza

Ester fue el primer libro de la Biblia que Dios le indicó a Lisa que leyera. Al leer capítulo tras capítulo se dio cuenta de que también había nacido «para un momento como este».

Durante años, Lisa había ocultado sus temores e inseguridades tras diferentes imágenes. La lectura de Ester la ayudó a comprender que el verdadero valor y la piadosa influencia serían suyas solo después que sometiera cada aspecto de su vida al Señor. Al meditar en cómo Ester se negó a dejarse dominar por el temor y avanzó con autoridad por estar sometida a una autoridad, le ayudó a Lisa a comprender que la verdadera fortaleza solo se halla al identificar las maneras en que Dios brinda su favor a las personas a fin de que logren ayudar a otros. En Ester, Lisa descubrió la belleza de distinguirse en verdad para el Señor.

Al finalizar ese semestre, Lisa se cambió de universidad y al poco tiempo comenzó a salir con John Bevere, con quien había salido aquel maravilloso verano en que se convirtió en cristiana. John fue el que la condujo a recibir el regalo de la salvación, que está disponible mediante la fe en Jesucristo. También fue el hombre que se convertiría en su esposo, en su compañero de ministerio y en padre de sus cuatro hijos.

Dispuesta a ayudar a otras chicas

Ahora como una popular conferenciante y autora de varios libros, Lisa está dedicada a ayudar a las jóvenes a evitar el dolor de vivir una vida que no esté dedicada a Dios. «Creo que cada generación tiene el mandato de transferir la verdad a la generación siguiente, ya sean verdades que una ha puesto en práctica o que ha aprendido penosamente sin experimentarlas. No deseo que la próxima generación tenga que lamentarse como yo». Ella anima a las mujeres a que mantengan los deseos sexuales reprimidos hasta el matrimonio. Lisa apoya y brinda asesoramiento a las jovencitas para que respondan al llamado divino y se conviertan en Ester modernas.

Con todo lo que ella ha aprendido, ¿qué les diría Lisa a las jóvenes de hoy? Cuando le pregunté esto, respondió con el pasaje de Isaías 52: «¡Despierta, Sión, despierta! ¡Revístete de poder!» (v. 1).

«Quiero darles una indicación a las jóvenes», dijo Lisa, «y es que el Espíritu clama y deben "despertarse" para participar del sueño que Dios ha puesto en cada una de sus vidas. Cuando comiencen a hacerlo, se darán cuenta de que las ropas de la vergüenza quedarán atrás y darán lugar al esplendor que Dios ha preparado para ellas».

Lisa ruega a Dios cada día que las Ester de nuestros días se distingan tanto que todo aquel que las vea se dé cuenta de que pertenecen a Dios.

El éxito de librería «Kissed the Girls and Made Them Cry», de Lisa Bevere, es uno que debes leer a fin de que te ayude a descubrir más maneras de responder al llamado de Dios para tu vida.

capítulo seis

Las poco probables Ester en medio de un mundo en crisis

heathermercerydaynacurry

Los espantosos hechos ocurridos el 11 de septiembre (9/11) estarán grabados con fuego y para siempre en la mente de los estadounidenses. La noticia de que dos aviones jumbo impactaron contra las torres gemelas del Centro de Comercio Mundial en la ciudad de Nueva York derribándolas, así como los otros atentados terroristas ocurridos ese mismo día, dejaron pasmada por completo a la nación. A medida que se desarrollaban los hechos, la mayor parte de la atención se centraba en tratar de entender cómo era posible que eso ocurriera, qué significaba y qué iría a suceder.

A miles de kilómetros de allí, en un país llamado sede de la organización terrorista detrás de los ataques, dos jóvenes estadounidenses estaban sentadas en un cuarto lúgubre y sombrío preguntándose lo mismo. Estas chicas eran casi desconocidas hasta que los noticieros comenzaron a revelar su difícil situación y aparente destino: la muerte.

A Dayna Curry y Heather Mercer, dos jóvenes misioneras en Afganistán, las arrestaron el 8 de agosto de 2001 por alegaciones de que trataban de convertir a los musulmanes al cristianismo. El 8 de setiembre, solo tres días antes de la tragedia del 9/11, el Tribunal Supremo de Afganistán pareció indicar que enfrentarían una posible sentencia de muerte, que se llevaría a cabo por lapidación, fusilamiento o ser enterradas vivas. Cuando llegaron las noticias del atentado del 9/11 a los oídos de las muchachas, un carcelero les dijo: «Si Estados Unidos no ataca a Afganistán, estarán bien; pero si lo hacen, la van a pasar muy mal»[1]. Como los noticieros de Estados Unidos comenzaron a interesarse en su cautividad, fue evidente que Heather y Dayna eran ahora marionetas en un conflicto internacional.

Como Ester, estas jóvenes enfrentaron la muerte porque sus creencias contradecían la cultura que las rodeaba. Sin embargo, estas Ester de nuestros días enseguida se dieron cuenta de que Dios las había colocado como guerreras espirituales con un destino especial. Y si bien la muerte era lo más probable, mantenían su esperanza viva y eso influía en la vida de las personas de esa tierra hostil. La historia de Heather y Dayna es de unas sorprendentes Ester que se enfrentaron cara a cara con un destino inimaginable.

Obedientes al llamado

Antes de explicar el porqué Heather y Dayna son Ester sorprendentes, es importante comprender qué hacían estas dos jóvenes estadounidenses en Afganistán, al otro extremo del mundo. ¿Qué hicieron para merecer la sentencia de muerte? ¿Y dónde estaba Dios en medio de esta crisis?

Años atrás, una pasión por hablarle del amor de Dios al pueblo afgano despertó en Dayna y Heather cuando escucharon a un trabajador de ayuda humanitaria contar sobre las críticas necesidades del pueblo. Su compasión por el pueblo afgano fue más profunda cuando comenzaron a orar con regularidad por Afganistán. Motivadas por una necesidad de actuar según sus oraciones, cada una de las chicas hizo un breve viaje a Afganistán para observar de primera mano la devastación de ese país y el sufrimiento de su gente, en especial de las mujeres.

Por ejemplo, las estrictas leyes de los talibanes estaban en constante cambio, lo que ocasionaba que los afganos vivieran en continuo temor a que los golpearan, torturaran, apresaran e incluso asesinaran por quebrantar alguna nueva ley de la que ni siquiera conocían la existencia. A una afgana la podían golpear por tener las uñas pintadas o por no llevar medias con su calzado. O también la podían apresar por hablar con un hombre que no fuera su esposo o un pariente cercano. Era frecuente que a las niñas de solo doce años las encarcelaran por huir de los abusos de sus esposos o prometidos, hombres de mediana edad.

Por último, Heather y Dayna sintieron el impulso a hacer un compromiso supremo. Con tan solo veinte años, decidieron dejar de lado la seguridad y las comodidades de su hogar en Waco, Texas, para viajar a un país devastado por las guerras y regido por extremistas islámicos. Con pocas pertenencias personales, iniciaron su viaje hacia lo que sería su nuevo hogar en Kabul. No tenían idea de lo que les esperaba allí, ni tampoco del vuelco que darían sus vidas.

Los agujeros dejados por las balas en la pared que rodeaba la propiedad eran un constante recordatorio de que la guerra podía estar a la vuelta de la esquina.

Durante los más de veinte años que la guerra duró en Afganistán, se bombardearon entre sesenta y setenta por ciento de los edificios de Kabul. El pequeño edificio de hormigón que se convirtió en su hogar fue en otro tiempo un almacén de armas y municiones. Si bien el interior estaba remodelado, los agujeros dejados por las balas en la pared que rodeaba la propiedad eran un constante recordatorio de que la guerra podía estar a la vuelta de la esquina.

En vez de pensar en los peligros de vivir en una ciudad que era el centro de la actividad terrorista, las jovencitas centraron su atención en las necesidades de las personas. El barrio afgano llamado Wazir Akhbar Khan les brindaría innumerables oportunidades de conocer a la gente y ayudarles de pequeñas maneras.

Enseguida, Dayna y Heather quisieron conocer a las afganas, en especial a los que se ocultaban detrás de las vestimentas, llamadas *burkas*, que se les exige que vistan, las cuales las cubren por completo de los pies a la cabeza. Solo tienen una pequeña abertura para los ojos. Las chicas comenzaron a organizar a los grupos de mujeres afganas pobres que acudían a su puerta de día para pedir comida, dinero, medicamentos y trabajo. Un talibán golpeó con brutalidad a un grupo de afganas por estar frente a la casa donde vivían otros occidentales, así que Heather y Dayna respondieron con rapidez cuando se quejó uno de sus vecinos talibanes, programando el tiempo para que vinieran las mujeres y los niños.

¿Trataron de convencer a algún musulmán a convertirse en cristiano?

Mientras intentaban aliviar algo del sufrimiento físico que las rodeaba, Heather y Dayna también buscaban oportunidades de calmar el hambre espiritual de estas personas. En ocasiones, lo único que podían hacer era contar cómo Cristo había cambiado sus vidas o tal vez orar en voz baja con alguna mujer desesperada. La televisión y las películas estaban prohibidas, pero la organización a la que pertenecían podía usar una computadora portátil para proyectar la película *Jesús*. Debido al peligro de captura, esto se hacía en absoluto secreto y en la casa de algún anfitrión.

Un día, Heather y Dayna fueron a una casa a mostrar la película a cierta familia a la que habían visitado en varias oportunidades. Esa gente sentía curiosidad por Jesús y deseaba ver la película. Antes, se había usado la computadora portátil de Dayna para proyectar la película, pero ese día el CD no funcionaba y el audio era demasiado bajo para el enorme grupo familiar reunido. Entre frustradas y ansiosas, consiguieron hacerla funcionar.

Heather permaneció con la familia mientras veían la película y Dayna tomó un taxi para visitar a una amiga. De repente, el taxi se detuvo y hombres armados de la policía talibana subieron al automóvil y se la llevaron. Al poco tiempo, otro grupo arrestó a Heather en otro lugar y la llevaron al edificio del Ministerio para la Prevención del Vicio y la Propagación de la Virtud, adonde también habían llevado a Dayna para interrogarla. De pronto, su mundo cambió... ¡una vez más!

Damas de honor

Durante las primeras semanas de su arresto, las trataron de forma justa y creyeron las versiones de las autoridades talibanas de que las liberarían al poco tiempo. Cada vez que las llamaban a declarar, sus interrogadores trataban de engañarlas diciendo que la forma en que respondieran no tenía demasiada importancia. Sin embargo, Dayna y Heather sabían que si les daban a sus captores cierta información, la consecuencia podía ser la muerte no solo de ellas sino también de las familias que hicieron amistad con ellas. Las preguntas que debían responder con suma cautela incluían:

- ¿Trataron de convencer a algún musulmán a convertirse en cristiano?
- ¿Mostraron una película sobre Jesús a los afganos?
- ¿Entregaron libros sobre Jesús a los afganos?

A Dayna y Heather las arrestaron junto con otras cuatro mujeres del grupo de asistencia *Shelter Now International* con sede en Alemania. Como los días se transformaron en semanas, las muchachas pasaban su tiempo en cautiverio orando, cantando canciones de alabanza y adoración y leyendo la Biblia.

Por las noches a menudo escuchaban los gritos de los prisioneros afganos, tanto hombres como mujeres, a quienes golpeaban o torturaban.

También buscaban la manera de ayudar a las afganas que estaban presas en el mismo pabellón. Por ejemplo, como Dayna, Heather y las otras extranjeras tenían dinero y contaban con el favor de los guardias, podían conseguir artículos que les traían del mercado o de la embajada de Estados Unidos. Por otro lado, las afganas no tenían acceso a esta clase de cosas. Con el fin de ayudarlas, Dayna y Heather a menudo les alcanzaban alguno de estos pequeños lujos o cosas necesarias. En ocasiones, trataban de levantarles el ánimo mediante pequeñeces como darles a escondidas confites de chocolate. Otras veces, trataban de aliviar sus padecimientos al darle una aspirina a una chica golpeada con severidad por los guardias o lavándoles el cabello con champú para piojos enviado desde la embajada de Estados Unidos.

Por las noches a menudo escuchaban los gritos de los prisioneros afganos, tanto hombres como mujeres, a quienes golpeaban o torturaban. Ellas clamaban a Dios, con los ojos llenos de lágrimas, a favor de estas personas que casi siempre las acusaban falsamente o las golpeaban por ofensas mínimas. Oraban también por Afganistán, para que sea liberada de la cautividad y del sufrimiento, y para que el mundo tomara conciencia de la opresión que existe allí.

Mensajes de Mardoqueo

Dos muchachos de su grupo, Georg y Peter, estaban encarcelados en otro sector del pabellón. Georg, el líder de la organización en Kabul antes de los arrestos, siguió alentando a las chicas incluso cuando ya estaban presas. En cierta manera era similar a la forma en que Mardoqueo se comunicaba con Ester por medio de uno de los eunucos del rey (véase Ester 4), Georg enviaba notas a las muchachas por medio de un guardia que los trataba con amabilidad.

Cierto día, Georg invitó a las chicas a que leyeran el libro de Ester. Dayna leyó el libro de una sola vez y se sintió fortalecida en lo profundo de su corazón al comparar su situación con la de Ester. Quizás *esta* situación fuera su «para un momento como este».

Fe contra temor

A un mes de su detención, a Heather y Dayna las llevaron ante el Tribunal Supremo Afgano. Según una ley talibana promulgada en enero de 2001, cualquier afgano musulmán que se convirtiera a otra religión lo sentenciarían a muerte. Algunos informes sugieren que cualquier extranjero que predique una fe no musulmana con un afgano recibirá la misma sentencia.

Cuando Dayna y Heather se mudaron a Kabul, sabían que era un riesgo. Eran conscientes de que podían morir. Sin embargo, en determinado momento mientras estaban en la cárcel, cada una llegó a un punto de *total* sometimiento de su vida al Señor, dispuestas en verdad a morir.

Para Dayna, esto sucedió cuando a la periodista británica Yvonne Ridley la encarcelaron con ellas durante varios días y les contó los terroríficos detalles del desastre del 9/11. Los ocho prisioneros se sintieron compungidos por el dolor. También les contó que el principal líder de los talibanes, *mulah* Mohammed Omar, le había propuesto un trato al presidente George W. Bush: Se liberarían ocho trabajadores de ayuda si el gobierno estadounidense se comprometía a no bombardear Afganistán. Sin embargo, Yvonne no era optimista: «No es cuestión de si Estados Unidos va a bombardear, sino cuándo. Deben estar preparadas para ello»[2].

Aquella noche, Dayna repasó la historia de Ester. Enfrentaba su propio momento Ester.

> Esa noche permanecí despierta varias horas; mi corazón físicamente dañado. En cuanto nos enteramos de la tragedia, oramos muchísimo por las familias estadounidenses que perdieron sus seres queridos, pero ahora sentíamos el impacto de los hechos de una manera mucho más profunda. ¿Cómo nos atreveríamos a esperar que el Presidente dejara de bombardear por ocho de nosotros cuando murieron tantos? Se necesitaba tomar acción contra Osama bin Laden. *Nuestras vidas estaban en las manos de Dios. Y si perecemos, que perezcamos*[3].
>
> CURSIVAS MÍAS

Con el tiempo, como les llegaban pocas noticias del mundo exterior, comenzaron a darse cuenta de que se encontraban en una posición única para hacer cosas que no serían posibles si no las arrestan y encarcelan. Quizá como Ester, las colocaron de forma providencial en medio de una crisis para un propósito divino... para un momento como este.

Cuando oraban y adoraban en esa fortaleza islámica, el nombre de Jesús se ensalzaba en un lugar en el que jamás se hizo antes.

- Como los otros voluntarios extranjeros se vieron obligados a huir, ellas eran las únicas cristianas que oraban desde Kabul.
- Como compartían un patio con las demás afganas presas, podían observar de primera mano el sufrimiento que soportaban, podían orar por ellas, bailar y cantar con ellas, hablarles de Jesús y ayudarlas en algunas de sus necesidades más importantes.
- Mientras las interrogaban, podían hablarles a los oficiales y guardias islámicos sobre el amor de Jesucristo.
- Como los medios diseminaron la noticia de su encarcelamiento, los cristianos de todo el mundo comenzaron a orar con fervor por Afganistán.
- Se retaba *y* crecía su propia fe como nunca antes. Y era de gran consuelo saber que estaban unidas a todos los que partieron antes que ellas y sufrieron por la causa de Cristo.

El 7 de octubre, Estados Unidos comenzó a bombardear las fortalezas talibanas. En ocasiones, las bombas caían tan cerca de la cárcel que el edificio se estremecía y las puertas interiores se abrían. Durante semanas, Heather se refugió debajo de un catre mientras las bombas caían todas las noches. Cuando las bombas comenzaron a caer de manera continua, tanto de día como de noche, quedó emocionalmente abatida y no sabía cuánto más habría de resistir. Por último, cuando estaba demasiado exhausta como para luchar con su posible muerte, Heather llegó al punto de total sometimiento al Señor. En su diario escribió lo siguiente:

> Señor, lo único que puedo hacer es dejarme caer en tus brazos y decir: «Que se haga tu voluntad». Estoy desesperada por completo y no puedo hacer nada, por eso pongo mi vida en tus manos. En este momento estoy consternada. Es como si no pudiera soportar más, por eso necesito desconectarme. Dios, ¡confío en ti! Señor, tú eres mi única esperanza. Yo renuncio ahora y ruego que tu gracia perdure... Oh Dios, deseo vivir, pero mi vida está en tus manos. *Si*

vivo, vivo para ti. Si muero, muero para ti. En definitiva, tú tienes todo bajo control y tienes la última palabra[4].

CURSIVAS MÍAS

El momento Ester de Heather fue a la vez de libertad y poder. Apenas horas antes de que las obligaran a huir de la ciudad con los talibanes, y a pocos instantes de que la ciudad de Kabul cayera en manos de la Alianza del Norte, Heather le leyó al agotado grupo y lo dirigió a entonar las canciones que compusieron allí mismo. Sentadas encima de los lanzacohetes, no tenían idea de a dónde las llevaban, pero abandonaban la prisión con un canto en sus labios, tal y como lo proclamaron en oración.

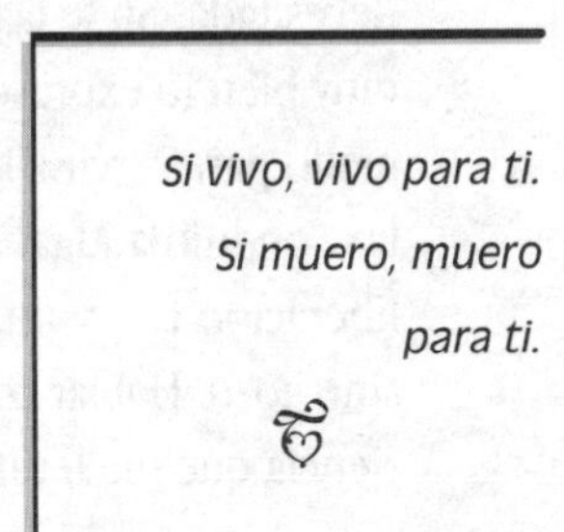

Dayna se dio cuenta de que Heather se hizo cargo de liderarlas cuando el futuro era tan incierto:

> [Heather] sacó una linterna y comenzó a leernos. Hablaba con poder. Nos dio el ejemplo. Nada menos que ella, que había sentido mucho miedo, ahora nos consolaba con firmeza en nuestra aflicción[5].

El heroico regreso a casa

Conocí a Dayna y a Heather cuando sus ciento dos días de prisión llegaron a su fin y las rescataron de Afganistán al mejor estilo Hollywood. Kabul estaba en manos de la Alianza del Norte y ellas escapaban. En un espectacular encuentro con las fuerzas especiales de Estados Unidos, Heather halló de forma milagrosa unos fósforos con los que encendió un pañuelo de cabeza para llamar la atención del helicóptero que las buscaba en los oscuros alrededores de la ciudad. Luego las trasladaron en un helicóptero militar a Pakistán y en un vuelo a Islamabad. ¡Qué encuentro! A Heather la esperaba su padre y a Dayna su madre.

Estas valerosas mujeres hablaron con el presidente Bush poco después de su liberación para luego iniciar un vertiginoso recorrido por los medios. En una conferencia de prensa luego de su liberación, el presidente Bush comentó lo alentador que fue hablar con ellas:

> Heather Mercer y Dayna Curry decidieron ir a ayudar a la gente necesitada. Su fe las llevó a Afganistán. Una mujer que las conoce muy bien lo expresó de la siguiente manera: Ellas sintieron el llamado para servir a los más pobres entre los pobres, y ese llamado las condujo a Afganistán [...] Hablé con ellas poco después de su liberación [...] y no percibí amargura en sus voces, ni cansancio, sino gozo. Hablar con estas muchachas tan valientes fue una experiencia que me levantó el ánimo[6].

Las jóvenes finalizaron la locura de los diez primeros días de regreso a los Estados Unidos con una presentación en el programa *Club 700*. Como copresentadora del programa, tuve el privilegio de entrevistarlas. Cuando nos sentamos a conversar, me asombró ver lo humildes, lo compasivas y lo bien que se expresaban Heather y Dayna al referirse a su fe y a la dura e increíble prueba que tuvieron que atravesar. Explicaron que sabían en su corazón que las oraciones de los cristianos de todo el mundo prepararon el camino para que volvieran sanas y salvas a casa.

Sabían en su corazón que las oraciones de los cristianos de todo el mundo prepararon el camino para que volvieran sanas y salvas a casa.

Había acabado de escribir mi libro *Para un momento como este*. Mientras las escuchaba explicar qué las fortaleció y les dio ese valor a través de las semanas y hasta meses antes de su rescate providencial, pensé: *¡Estas mujeres son Ester de la actualidad!* Intrigada por saber más sobre ellas, tuve la oportunidad de conversar luego del programa. Pensaba que estas dos sacrificadas y valerosas mujeres fueron hijas de misioneros criadas en hogares cristianos. Eso explicaría la profunda motivación a viajar a un país tan hostil y a poner sus vidas en peligro por hablar del amor de Jesús. Para mi asombro, me enteré que unos pocos años atrás estas muchachas quizá se considerarían las poco probables Ester.

Si piensas que esta dramática historia es demasiado espectacular y que nada semejante ocurriría en tu vida común y corriente, o que has cometido demasiados errores como para que Dios te use de manera significativa, espera a enterarte de *la historia detrás de la historia*. En realidad, esta es la parte a la que me moría por llegar porque es la más alentadora de todas.

Las poco probables Ester

Llamo a Heather y a Dayna las «poco probables Ester» porque ninguna de ellas se consagró al Señor hasta finales de la adolescencia. Dios tomó a dos chicas del montón, con vidas sin rumbo y bastante conflictivas, y las transformó de manera radical mediante el amor del Señor Jesucristo.

En su niñez, Heather y Dayna sufrieron el dolor del divorcio. Cuando entraron en la adolescencia, las consecuencias de los hogares destruidos y sin la esperanza de Dios ya se habían hecho sentir.

La historia tras la historia de Heather

Heather explicó: «Sin duda, no crecí en un hogar perfecto ni ideal». Recuerda que tuvo una infancia bastante normal, pero al hacerse mayor su familia comenzó a derrumbarse. Cuando tenía trece años, sus padres se separaron para divorciarse dos años más tarde. Heather se encontró separada de sus hermanos y, como era la mayor, asumió la responsabilidad de mantenerlos unidos. Como suele suceder en los hogares destruidos, las consecuencias se hacen sentir en los niños. Heather y su hermana lucharon contra la depresión y, lo que es peor, el padre tenía además adicción por el alcohol, lo que complicaba aun más las cosas.

En esa edad crítica para una jovencita, Heather comenzó a sentirse insegura. «No había ni un solo lugar seguro en mi vida», comentó, «por eso durante un tiempo me rebelé. Pensaba: *Si mis padres van a hacer su vida, yo voy a hacer la mía*». A fin de sobrevivir con sus emociones se volvió dura por fuera, pero en su interior estaba herida y destrozada, frágil y débil.

Durante algún tiempo en el que las cosas en verdad se pusieron de cabeza, desarrolló un trastorno alimenticio. «Mi vida estaba fuera de control, pero al menos era capaz de controlar algo: qué comía o qué no comía. Estaba furiosa y deseaba que la vida no fuera tan dura. Me sentía deprimida y deseaba llorar a cada momento debido a que todo estaba tan mal. Tuve que crecer de golpe y no estaba preparada para hacerlo».

A medida que escuchaba a Heather pude identificarme con ella. Yo también había experimentado la inestabilidad e inseguridad que el divorcio de mis padres trajo aparejadas. Aun el enojo y los sentimientos de que todo estaba fuera de control, que se manifestaban mediante trastornos alimenticios, también me resultaban conocidos.

«A Jesús le encanta tomar en sus manos los trozos de nuestra vida arruinada, nuestras debilidades, nuestras cosas insensatas y recomponerlas para formar algo hermoso».

¿De qué manera Dios interrumpió ese caos y transformó la vida de Heather? Ella sonreía cuando me contaba: «A Jesús le encanta tomar en sus manos los trozos de nuestra vida arruinada, nuestras debilidades, nuestras cosas insensatas y recomponerlas para formar algo hermoso.

»Fue la gracia de Dios la que me permitió tener una amiga cristiana en el instituto», dijo. «Era la primera seguidora de Cristo que conocía». Vio en esta muchacha la clase de amor y de vida que ansiaba. Su nueva amiga provenía de un hogar cristiano y tenía gozo y paz. Heather pensaba: *¿Cómo es que su vida se vea así mientras que la mía es un caos total?* Esta chica se acercó a Heather y la invitó a la iglesia.

Heather había oído de Jesús, pero nunca había escuchado que Él *la* amaba y que tenía un plan para *su vida*. Heather siempre tuvo el deseo de vivir por algo superior a ella misma, pero no sabía qué era eso *superior*. Esa noche en la iglesia encontró lo que había estado buscando. Junto a cientos de otros jóvenes, aceptó el amor de Jesús por ella. Una vez finalizada la reunión, Heather se acercó a hablar con el predicador que llevó el mensaje y la guió a hacer la oración de salvación. Cuando rompió a llorar a mitad de su primera frase, el hombre le explicó que había recibido una nueva vida y que Jesús estaba sanando su corazón.

Todo comenzó a transformarse. Aunque la familia de Heather seguía destruida, su corazón ya no lo estaba. Su visión de la vida cambió. Donde había dolor e inseguridad halló gozo y propósito. Al pasar a ser Jesucristo el centro de su vida, se dio cuenta de que sus actitudes cambiaron y que sus deseos y objetivos también comenzaron a hacerlo. Incluso comenzó a descubrir a otras personas que arrastraban su mismo dolor antes de escuchar el mensaje del amor de Cristo[7]. Al principio, comenzó a contarle a quienes la rodeaban sobre su fe recién descubierta. Luego, en 1995, cuando comenzó a asistir a la Universidad de Baylor en Waco, Texas, se inscribió en el ministerio del campus universitario y dirigió estudios bíblicos y pequeños grupos de compañerismo.

Heather deseaba acercarse a personas con serias necesidades y ayudarlas sin que pareciera que las contemplaba desde el exterior, así que comenzó a frecuentar a las personas sin techo que vivían en las calles de Waco o debajo del puente interestatal. En cierta oportunidad, hasta intentó alquilar un apartamento en un plan de viviendas para personas de bajos recursos de la ciudad a fin de lograr identificar las necesidades de los más pobres[8]. Enseguida comenzó a soñar con la posibilidad de servir a los pobres de otros países y mostrarles el amor de Jesús a quienes jamás habían oído de Él.

Cierto día en que se preguntaba si tendría el talento o la habilidad de distinguirse en un país tan devastado como Afganistán, le pareció que Dios le formulaba tres preguntas:

- ¿Eres capaz de amar a tu prójimo?
- ¿Eres capaz de servir a los pobres?

¿Lloras como yo por los pobres y los oprimidos?

La respuesta a cada una de esas preguntas era: «Sí, Señor».

La historia detrás de la historia de Dayna

La historia de Dayna es también asombrosa e inspiradora. Sus padres se divorciaron cuando ella tenía diez años. Su mamá trabajaba muchísimo y Dayna a menudo sentía que no tenía ni familia ni raíces, de modo que sus amigos pasaron a ser su familia.

Cuando comenzó el instituto, era una chica fiestera, fumaba y bebía con su grupo. «Todas mis amigas bebían y tenían relaciones irregulares con los muchachos. Ni siquiera sabía que se pudiera llevar una vida de pureza. Mi moral era un caos absoluto», recuerda Dayna. Cuando parecía que ella era la única que seguía siendo virgen en su grupo, decidió entregarse al joven con el que salía. «Yo estaba del todo convencida de que uno podía acostarse con alguien del que estuviera enamorada y que eso no era malo. Sin embargo, después de hacerlo me sentí sucia. Me sentí avergonzada. No me satisfizo en lo absoluto».

En determinado momento, no obstante, se comprometió a esperar hasta el matrimonio. Una noche, tuvo una cita en la que todo salió mal. «Nos emborrachamos y terminó siendo una violación. Me dan ganas de llorar cada vez que lo recuerdo». Después de eso, desistió de la idea de mantenerse pura y al cumplir los diecisiete, sucedió lo esperable: Dayna estaba embarazada.

La aterrorizaba la idea de avergonzar a su familia, en especial a su padre. «En mi tergiversada manera de pensar, creía que si abortaba nadie saldría dañado aparte de mí». Pensaba: *Bueno, Señor, envíame al infierno y recibe a mi bebé en el cielo*. Sin embargo, no fue tan sencillo. Después del aborto, su corazón se endureció como una roca y sus emociones se apagaron por completo. Su vida estaba fuera de control y ella siguió enterrando su dolor tras la promiscuidad y el alcohol.

Dayna se horrorizó cuando la tía, que lo descubrió todo, se lo contó al padre. Eso era lo que más temía; estaba segura de que la repudiaría. Para su asombro, solo la miró con los ojos llenos de lágrimas y le dijo que la amaba. «No recuerdo que me haya dicho eso antes». El descubrimiento del amor de su padre y la noticia de que su madre deseaba acompañarla en lo que necesitara fue lo que Dios usó para comenzar el proceso de sanidad.

Incluso después que se reveló el secreto de Dayna a su familia, por un tiempo ella siguió yendo a fiestas. No obstante, cuando su mamá le sugirió que fuera a una universidad cristiana, estaba más que preparada para alejarse lo más posible de su pasado.

Y allí sucedió el milagro.

En la escuela, conoció a una chica que amaba a Dios con sinceridad y estaba llena de vida y de gozo. Esta jovencita era por completo diferente a sus amigas anteriores. Comenzó a invitar a Dayna a asistir a la iglesia y a ministerios del campus. Fue en uno de estos encuentros cuando Dayna tuvo un encuentro con Dios como nunca antes. «Había algo especial en el servicio de adoración. Recuerdo que sentía una presencia que me atraía». Luego, cuando un par de personas se acercaron a orar por ella, dijo: «Fue como un río que fluía. Un río de calor y amor que me lavaba y lo único que podía hacer era llorar y llorar. Pensé: *Dios en realidad me perdona y me ama, incluso en medio de mi pecado*. Luego de haber experimentado eso, me sentí atrapada».

Dayna decidió entregar ciento por ciento de su vida al Señor, pero se dio cuenta de que debía realizar cambios drásticos en su vida. No relaciones sexuales. No drogas. No alcohol. No música secular. Debía dejar de lado todo lo que no le agradaba a Dios. «Comencé a leer la Biblia y me sentí cautivada. Era la primera vez que me sentía limpia. Estaba enamorada por completo de Dios».

Comenzó a buscar la manera de conocer y de ayudar a las muchachas que andaban por ahí, en el centro de jóvenes de la zona. Se interesaba más por las chicas embarazadas, adictas a las drogas y al alcohol o que estuvieran en algún tipo de problema serio. Dayna deseaba apoyarlas de la misma manera en que ella necesitó el apoyo una vez.

El deseo de Dayna de ayudar a las mujeres aumentó cuando finalizó su carrera como asistente social en Baylor y se dedicó de lleno a un año de entrenamiento en discipulado intensivo a través de un programa llamado el Master's Commission. Luego, durante varios breves viajes misioneros a México, Guatemala, Siberia y Uzbekistán, el Señor comenzó a poner en el corazón de Dayna amor por la gente de otras naciones, por las personas que jamás habían escuchado del amor de Dios.

Dayna ha sugerido algunas herramientas para la sanidad de los pecados del pasado y el crecimiento de tu fe: «El corazón paternal de Dios» de Floyd McClung, hijo; «Rompiendo las cadenas» de Neil T. Anderson; y «Victoria sobre la oscuridad» de Neil T. Anderson.

Durante el año que estuvo en el Master's Commission, Dayna realizó un diario de oración de Juventud con una Misión (JuCum) y cada día oraba por los grupos no alcanzados. Todos los días le parecía que oraba por otro país con millones de musulmanes. «Mientras más oraba por estas personas, de quienes sabía muy poco, más me transmitía Dios una carga por ellos. Sentía el corazón destrozado por ellos, en especial por las mujeres, que no tienen idea de quién es Dios ni cuánto las ama». Entonces llegó la oportunidad de ir a Afganistán. «Fue como si el corazón me estallara», dijo Dayna. Al principio estaba emocionada, pero luego sintió temor. *Señor, no estoy preparada, no soy una evangelista*, le decía a Dios. Fue entonces cuando Isaías 6:8-9 le vino a la mente:

Entonces oí la voz del Señor que decía:

—¿A quien enviaré? ¿Quién irá por nosotros?

Y respondí:

—Aquí estoy. ¡Envíame a mí!

Dayna sintetizó a la perfección el deseo de Dios de usar a alguien que fuera a cumplir su obra divina: «Considero que lo más hermoso es cuando ahora hablo y alguna mujer viene y me dice: "Gracias, ahora sé que Dios puede usarme y que hay sanidad para mi vida"».

Dios está animando a nuestra generación para que responda al llamado.

Ella siguió con este llamado a levantarse: «Dios desea convocar a nuestra generación para que lleguen lejos, para que acudan a esas zonas del mundo en las que jamás se ha predicado. Él observa nuestra generación y dice: "¿Quién irá?". Otro hecho soberano es que Dios levanta a chicas comunes y corrientes. Él trata de animar a nuestra generación para que responda al llamado».

Dos destinos que se cruzan

Dios condujo tanto a Heather como a Dayna a un punto primordial en su vida, en el que se vieron obligadas a ponerse a cuentas con Dios en cuanto a su dolor, su pecado y su necesidad de Él para un cambio total en sus vidas. Cuando lo hicieron, su corazón recibió sanidad y Dios comenzó a prepararlas para su perfecto plan divino para la vida de las muchachas. Heather y Dayna son ejemplos de cómo Dios puede recoger las piezas dispersas de nuestra vida y hacer algo hermoso.

Cuando les expliqué a las chicas mi pasión por animar a las jóvenes a través del ejemplo de la reina Ester, se les iluminó el rostro. Ellas no solo se sentían identificadas con Ester por haber tenido su propia experiencia de «para un momento como este» en Afganistán. Ellas también deseaban animar a las jóvenes que estuvieran en un pozo en el que se hunden cada vez más, como ellas lo estuvieron. Quieren que descubran que Dios es capaz de transformar por completo sus vidas en algo maravilloso y significativo.

El destino continúa

Desde su liberación del cautiverio, Heather y Dayna han seguido creciendo como Ester de nuestros días. Además de escribir un libro sobre la increíble experiencia en Afganistán y de lanzar un CD con las canciones de adoración que las ayudaron a soportar el tiempo en prisión, siguieron viajando para contarle a los demás acerca de su amor por el Señor y por su obra en todo el mundo. La historia de estas muchachas se ha repetido una y otra vez en todo el mundo a través de la televisión, la radio y la prensa escrita.

Todo el dinero que recaudan de la venta de su libro *Prisioners of Hope: The Story of Our Captivity and Freedom in Afghanistán* y del CD *Prisioners of Hope: Songs of Freedom*, va a parar a una organización que formaron y que se llama Hope Afghanistan. Mediante sus oraciones y los fondos donados a Hope Afghanistan, que se distribuyen entre las personas y en los proyectos de reconstrucción del país, Heather y Dayna siguen siendo determinantes.

Si te has sentido inspirada por la historia de estas dos sorprendentes Ester y deseas saber más acerca de Dayna y Heather o quieres participar de su visión dada por Dios en cuanto al pueblo afgano, visita su página de Internet: www.HopeAfghanistan.net.

O puedes escribirles a:

The Hope Afghanistan Foundation.

PMB 118

1200 Lake Air Drive

Waco, TX 76710

Hope@HopeAfghanistan.net

capítulo siete

Amistades divinas

kellyewingykerishea

La Ester de la Biblia era una chica que comprendía el valor de la amistad. Después que Jegay le asignara siete doncellas que la sirvieran, Ester y ellas pasaron mucho tiempo juntas. Sin duda, a estas mujeres les impresionaron las cualidades del carácter de Ester: su bondad, su sabiduría, su virtud y su devoción. Estas jóvenes persas se identificaron tanto con Ester que cuando llegó el momento de crisis, estuvieron dispuestas a orar al Dios de los judíos y a ayunar por el pueblo de Ester.

Dios sabía que llegaría el día en que Ester necesitaría amigas confiables. Por eso obró por medio de Jegay para seleccionar un círculo de compañeras para Ester que la apoyarían cuando lo necesitara.

Dios *diseñó* a las mujeres para que fueran relacionales. Él comprende que las amistades son tan importantes para ti como lo fueron para Ester. Después de todo, las chicas necesitan una amiga con la cual conversar, ser confidente, contar con ella o aunque solo sea para escucharse cuando sientan que el mundo se les viene encima.

Hoy en día, Dios sigue con la tarea de seleccionar amigas que ayuden a cada joven a cumplir sus divinos propósitos.

Si no lo crees, pregúntale a Kelly y a Keri.

El hoyo de la desesperación

A Kelly siempre le había costado relacionarse. El problema se inició en sus años en el instituto. Cuando Kelly tenía quince años, falleció su hermano. Sumado al enorme dolor que sentía, el acongojado padre se retrajo emocionalmente en el momento en que Kelly más lo necesitaba. Luego, cuando tenía dieciocho años en una de sus primeras relaciones serias, su novio la violó.

La pérdida de la virginidad sumada a las pérdidas familiares, golpearon a Kelly como si fuera una aplanadora. Comenzó de repente a andar de una relación sentimental en otra en las que escogía siempre muchachos que lo único que les interesaba era la relación sexual. Durante años intentó hallar satisfacción en relaciones superficiales y basadas en la sexualidad que jamás duraban demasiado.

Las relaciones de Kelly con las demás chicas tampoco eran mucho mejor. No había profundidad en esas amistades, no se comunicaban sus cosas, ni existía la confianza. Las amigas de Kelly salían solo para pasar el rato y nada más. Ella reconocía que algo le faltaba.

«Es algo desesperante. Es como un hoyo del cual no podía salir», me dijo Kelly. «No podía pasar más allá de un nivel superficial de amistad, tanto con un muchacho como con una chica. Siempre me consideraba una buena comunicadora, pero nunca tenía un buen amigo de verdad, una amiga con quien profundizar una relación».

No es una coincidencia, la relación de Kelly con Dios, la cual se remitía a sus años adolescentes, era también distante. Creía en Él y se había criado en la iglesia, pero jamás había confiado en Dios como el Señor de su vida.

Lo que Kelly desconocía era que Dios la estaba preparando para una amistad que lo cambiaría todo.

Apartada

Keri sufrió una pérdida importante siendo muy joven, al igual que Kelly. Ella y su papá eran muy unidos. Cuando este falleció Keri solo tenía ocho años, el dolor fue algo insoportable. Se preguntaba: *¿Cómo lo voy a soportar?*

El dolor de Keri se vio agravado por el sentimiento de que ya no podría volver a confiar en Dios. No comprendía cómo un Dios bueno y amoroso se había llevado a su padre. Ester perdió a ambos padres, sin embargo, no fue como Keri que desarrolló una honda amargura espiritual. Incluso, comenzó a buscar satisfacción en relaciones sentimentales que jamás llegaron a cubrir sus expectativas ni sus sueños.

Temerosa de quedarse sola, Keri llegó al punto en el que sencillamente decidió que quería casarse. Se comprometió con un joven aun cuando le advirtieron que no era para ella. Por último, el Señor intervino.

«Pocos meses antes de la fecha de la boda, mi novio y yo tuvimos una pequeña discusión», recuerda Keri. «Era la primera vez que peleábamos y fue también la última. Él se levantó, se fue y jamás regresó. Hemos hablado desde entonces y aún no comprende por qué se fue; pero sé que era el Señor que me protegía».

Dios quería apartar a Keri para algo mejor. Ella comenzó a darse cuenta de que era el momento de poner su confianza en Dios en vez de intentar hallar satisfacción en una serie de fugaces romances. Keri se decidió a ingresar en un «ayuno de citas»; es decir, no saldría con otro hombre hasta que hallara al que sería su esposo.

Ese ayuno duró unos cuatro años. Aun así, la resolución de Keri comenzó a flaquear. Sintió una cierta conexión espiritual con un joven y permitió que esa relación se profundizara y se tornara sentimental. No obstante, en su corazón Keri sabía que ese tampoco era el plan de Dios.

Una conexión divina

Los destinos de Kelly y Keri se encontraron una noche en Nashville, Tennessee, en una fiesta navideña a la cual ninguna de las dos pensaba asistir. Kelly iba a romper con su novio esa noche y no tenía ganas de socializar. Keri tampoco deseaba ir a esa fiesta. Sin embargo, apenas Kelly llegó con recelo, reconoció al novio de Keri que se la presentó.

Se produjo un lazo instantáneo entre ambas.

«Comenzamos a hablar acerca de lo que hacíamos, de nuestro trabajo y así fuimos ahondando en la conversación», relata Kelly. «Yo le dije: "Esta noche rompí con mi novio. Mi vida va a cambiar por completo". Y ella me contaba que estaba en la misma situación con su novio. Entonces nos encontramos haciéndonos la misma pregunta: "*¿Qué vamos a hacer?*"».

Kelly rompió la relación que tenía con su novio esa misma noche y, gracias al apoyo y ánimo brindado por Kelly, Keri hizo lo mismo a las pocas semanas. Ambas se encontraban en un punto crucial de sus vidas y luego de muchos años de búsqueda de una verdadera amiga, ambas supieron que Dios había acomodado las cosas para que cada una desempeñara un papel vital en la otra.

«Ser amiga de Kelly es mucho más que pasarla bien», comenta Keri. «Nos comprendemos. Muchas personas creen que la amistad es contar con alguien para charlar, divertirse y salir de compras. Esas cosas son importantes, pero pienso que la verdadera amistad existe cuando uno puede decir algo que no es agradable oír, decirlo con amor y que la otra persona te ame lo suficiente como para recibirlo, orar por eso y reconocer que no tienes la intención de herirla».

Kelly reconoce que en el pasado ha tenido muchas luchas con su orgullo. A ella no le gustaba dar a conocer sus errores, ni rendir cuentas ante el Señor, ni ante nadie, de sus acciones. Sin embargo, su orgullo comenzó a desvanecerse cuando conoció a Keri.

«Se produjo entre nosotras un lazo divino que no me dejó opción, tuve que ser sincera y hacerme cargo de lo que me sucedía, además de impulsarme hacia una relación más profunda con el Señor», dice Kelly. «Había muchos pecados ocultos en lo profundo de mi ser que jamás había confesado. Cuando conocí a Keri, dije: "Esto es sencillo ahora. Alguien me quiere con sinceridad y no le importa lo que haya sucedido en mi vida. Soy una persona distinta, una nueva criatura". Ambas recibimos sanidad interior».

Deseosas de ser obedientes a Dios, ambas hicieron un nuevo compromiso: No solo no iban a salir con muchachos hasta que Dios les presentara a sus futuros esposos, sino que ni siquiera iban a volver a besar a un hombre hasta que estuvieran frente al altar el día de su boda. Si bien algunos quizá piensen que es un cambio en su estilo de vida demasiado radical e incluso imposible de realizar, Kelly y Keri sintieron el llamado de Dios de recobrar el nivel de pureza de Ester: «Sean santos, porque yo soy santo» (1 Pedro 1:16).

Al principio no les fue fácil, pero como Kelly y Keri buscaban al Señor y su perfecta voluntad, hallaron fortaleza y apoyo la una en la otra. Antes de encontrarse con Keri, Kelly pensaba que el pasaje de Eclesiastés 4:9-10 que dice: «Más valen dos que uno, porque obtienen más fruto de su esfuerzo. Si caen, el uno levanta al otro. ¡Ay del que cae y no tiene quien lo levante!», era algo que no experimentaría en su plenitud hasta que se casara. Sin embargo, a medida que profundizaba la amistad con Keri, esa amistad ordenada por Dios, se dio cuenta de que el apoyo que se brindaban entre sí era tal y como lo describía la Palabra de Dios.

Ellas dos, como amigas, sin duda eran mejor que una sola.

Listas para la batalla

Seis meses después de aquella fiesta navideña, Kelly y Keri habían estado orando por su deseo de consagrarse más al Señor y servirle mejor. Dios les respondió abriéndoles las puertas a un viaje misionero al Ecuador.

Ambas ayunaron antes de viajar y pidieron a Dios que pudieran causar un impacto perdurable en la vida de las adolescentes con las que iban a trabajar. Como resultado, tuvieron su «momento Ester» que elevó su confianza en el Señor a un nivel superior.

Una noche, Kelly y Keri debían hablar a un grupo de quinientas adolescentes. Decidieron ponerse pantalones camuflados, camisetas anaranjadas y pintarse debajo de los ojos con pintura negra. Deseaban representar que estaban listas para «ir a la batalla» en nombre del Señor y de estas chicas porque a veces pareciera que vivir para Dios en medio de las presiones culturales puede ser una verdadera lucha. Por eso se pusieron ropa de combate para enfatizar esa idea.

A pesar de su decisión, Keri estaba muy nerviosa por tener que hablar ante una concurrencia tan numerosa. Deseaba estar bien preparada, por lo que se sentó en la cama a anotar las ideas en tarjetitas.

«El bolígrafo no funcionaba», recuerda Keri. «Hice garabatos en una hoja, pero no escribía. Pensé que era del todo ilógico ya que el bolígrafo era nuevo. Lo dejé a un lado y tomé otro. Tampoco escribía. Probé con dos o tres más sin resultado. Cuando ya era el quinto bolígrafo que probaba, me enojé tanto que lo tiré hasta el otro extremo de la habitación. Solo teníamos unos minutos para preparar las notas. Lo esencial era que el Señor me había indicado que dijera mi testimonio personal ya que nunca lo había hecho. Entonces dije: "Muy bien, Señor, me voy a parar y hablaré directo desde el corazón. Tú tendrás que hablar por medio de mí».

Y Él lo hizo así. Keri abrió su corazón frente a estas muchachas, desnudando tanto los maravillosos como los duros detalles de su vida. Y mientras Kelly escuchaba, descubrió que el Señor también le hablaba a ella. Cuando le llegó el turno de hablar, dejó de lado sus apuntes para abrir también su corazón delante de las chicas. Esto trajo como resultado una experiencia memorable para todos los presentes.

«Fue un tiempo de bendición», dice Keri. «Estábamos allí para mostrarles que Dios puede hacer cosas asombrosas. No se trata de cómo seas ni cómo te veas, sino que tiene que ver con lo que Él hace en tu interior. Estamos consagradas por completo al Señor y nadie jamás lograría modificar eso».

Amigas por siempre

Keri y Kelly siguen siendo grandes amigas y se apoyan entre sí al rendirse cuentas por su compromiso y fe, además de seguir buscando su destino espiritual en el corazón de Dios. Ambas están muy agradecidas al Señor por haberles elegido una compañera que las desafiara a ahondar en el amor divino y con la que podrían compartir el camino de la vida.

«Cuando Dios me presentó a Keri, fue la buena semilla de una relación como la que jamás había tenido», afirma Kelly. «Se trata de una relación que nunca se romperá porque fue divinamente establecida por Dios».

«Disfrutamos de la vida, de ser solteras para el Señor y de contar con esta oportunidad de que Él nos moldee, nos haga a su manera y nos pode», dice Keri. «El Señor nos sigue mostrando cosas a través de nuestra amistad».

Muchas personas que no las conocen demasiado piensan que son hermanas. En cierto sentido, es así. Estas Ester modernas son hermanas en la familia de Dios que se impulsan y se animan una a la otra para crecer y cumplir su destino, como hijas del Padre celestial.

¿Tienes alguna amiga que ore por ti y te ayude a mantenerte en tu caminar por fe, así como la tuvieron Ester, Kelly y Keri? ¿Está tu relación con esta «doncella escogida» basada en un compañerismo genuino, en la lealtad y en la integridad?

Dios quiere bendecirte con una amiga que te ayude a ser todo lo que debes ser.

Si no es así, mira a tu alrededor y ora por ese motivo. Es posible que Dios esté preparando una amiga especial para ti. Él te ama y quiere bendecirte con una amiga que te ayude a ser todo lo que debes ser, si es que amas a Dios y confías en Él. Pídele al Señor en oración que te muestre a quién tiene en mente. Mientras aguardas su respuesta, podrías desarrollar cualidades presentes en la vida de Ester para ser una buena amiga. Ya llegará el momento en que Dios *te pida* que seas esa clase de amiga para alguien que lo necesite.

Tengas o no a tu lado una amiga elegida por Dios, no te desesperes, pues cuentas con el mejor amigo que alguien podría tener. Su nombre es Jesús. Mientras estés cerca de Él, jamás estarás solo.

capítulo ocho

Preparada para una vida de destino

jenniferrothschild

Son en verdad importantes las decisiones que tomamos a temprana edad? Veamos cómo las decisiones de una pequeña hicieron que Dios la preparara para un cambio en su vida que jamás se habría imaginado.

Entrega las riendas a Dios

Jennifer aceptó a Cristo en su vida a los nueve años de edad, pero no fue hasta los trece que sintió el llamado del Señor a una vida más consagrada. Su reacción tierna e inocente fue darse por entero a Él. Desconocía si el entregarse por completo a su divina voluntad significaba que algún día se convertiría en una misionera o esposa de pastor o en algo que ni siquiera imaginaba, pero estaba decidida a confiar en que el Señor moldeara su vida de la manera en que fuera más agradable y útil para Él. A partir de ese momento, Jennifer llevó una vida que reflejaba las palabras que expresó Jesús a su Padre celestial cuando se acercaba su momento de destino en la cruz: «No se cumpla mi voluntad, sino la tuya» (Lucas 22:42).

Aunque Jennifer sabía que el camino del Señor para su vida sería distinto al que hubiera escogido por su cuenta, creía que su bondad y amor preprepararían su sendero y que sería mucho más superior que el que hubiera recorrido sin la dirección de Dios. Lo que Jennifer no sabía era que su obediencia abría las puertas para que Dios la preparara para una crisis.

El tiempo de preparación

Como una joven adolescente, el nuevo nivel de entrega de Jennifer a Dios resultó en seguir la dirección divina a dedicarse como nunca antes a memorizar pasajes de las Escrituras. Aun cuando no sabía el porqué de la urgencia que sentía por hacerlo, no pasó por alto el llamado de Dios a dedicarse a la memorización de las Escrituras.

Dios le daba un don que sería insustituible.

Sin que sus padres o maestros la empujaran a hacerlo, Jennifer memorizaba dos versículos a la semana y lo hizo durante todo un año. No tenía idea de que, impulsado por el amor que le tenía, Dios le daba un don que sería insustituible.

Dios también obraba en la vida de Jennifer de otras maneras, por eso la guió a leer dos libros en particular: uno de Corrie ten Boom y otro de Joni Eareckson Tada. Cuando leía acerca de Corrie, que estuvo prisionera junto a su hermana en un campo de concentración nazi, y de Joni, que tiene que luchar con su parálisis fruto de un accidente acuático, Jennifer no tenía manera de saber que esos relatos le servirían de guía en el tiempo de dolor y pérdida personal.

Aunque Jennifer no conocía en persona a ninguna de estas dos mujeres de fe, de muchas maneras llegaron a ser sus consejeras. En ambas observó decisión y resistencia, determinación y perseverancia, cualidades que deseaba desarrollar en su propio carácter.

Si quisieras leer sobre esas mujeres que respondieron al llamado de Dios a sus vidas mientras las llevaba a través de la adversidad, lee «El lugar secreto» de Corrie ten Boom y «Joni» de Joni Eareckson Tada.

A diferencia de muchos chicos, Jennifer creció con la bendición de unos padres que eran fieles cristianos. Así que respetaba y aprendía del ejemplo de la fe inconmovible que veía en ellos. Muchas veces los veía permanecer impasibles durante las situaciones críticas. Al observar su manera de actuar y escuchar lo que decían en los momentos de adversidad, se daba cuenta de que jamás le daban la espalda a su fe, ni cuestionaban a Dios, ni se desmoronaban emocionalmente.

«¿Qué me pasa?»

En la época en que la mayoría de los chicos se preguntan cómo será dejar atrás la escuela primaria y comenzar la secundaria, Jennifer se preguntaba por qué no podía ver los escalones de la escalera ni los números en el pizarrón.

Desde el preciso momento en que Jennifer notó la dificultad que tenía para ver determinadas cosas, decidió ocultarlo. Cierto día en que, como solía hacerlo, estaba en un paseo de compras con sus amigas, se dirigió hacia un teléfono público. Sin embargo, no podía ver los números del dial. Aturdida por la novedad de no poder hacerlo, le pidió ayuda a una amiga que marcó por ella no sin antes hacer un comentario malicioso. Entonces Jennifer pensó: *¡No quiero que mis amigas sepan que no veo!*

Cuando Jennifer al fin le comentó a su madre que tenía dificultades de visión, esta la llevó de inmediato a un oculista. Sin embargo, cuando una mayor graduación en sus lentes ya no era solución, el médico la remitió al Instituto de Oftalmología Bascom Palmer. Luego de varios días en los que le hicieron diversos estudios, los médicos se reunieron con Jennifer y sus padres para transmitirles las noticias devastadoras: Jennifer padecía de retinitis pigmentaria, una enfermedad que poco a poco va acabando con la retina.

No existe cura ni tampoco hay manera de reparar el daño ya provocado. ¿Y la peor noticia de todas? A los quince años, Jennifer ya estaba prácticamente ciega y sus retinas seguirían deteriorándose hasta que quedara ciega por completo. No vería nada en lo absoluto... por el resto de su vida.

Con este diagnóstico, Jennifer portaba una sentencia para toda la vida, inimaginable para la mayoría de nosotros. Jamás volvería a ver los árboles meciéndose con el viento, ni les devolvería una mirada cariñosa a sus padres, ni contemplaría los cambios del cielo cuando sale el sol y las nubes danzan por encima. No volvería a montar en bicicleta ni dar una caminata sin ayuda, así como tampoco vería los rostros de las personas amadas, ni de los que conocería más adelante.

Cuando se reveló el diagnóstico, un silencio abrumador se guardó en el consultorio médico. El viaje de regreso a casa también lo hicieron en silencio, mientras Jennifer y sus padres intentaban asimilar la noticia. Jennifer describe lo que le pasó por la mente en esos cuarenta y cinco minutos de viaje:

> Mi corazón estaba cargado de emoción y mi mente volaba con miles de interrogantes y pensamientos. *¿Cómo terminaré el instituto? ¿Iré algún día a la universidad? ¿Cómo voy a saber cuál es mi apariencia? ¿Alguna vez tendré una cita o un novio? ¿Alguna vez me casaré?* Recuerdo que me acariciaba la yema de los dedos cuestionando cómo hacía la gente para leer Braille.
>
> Y entonces me golpeó.
>
> *Jamás lograré conducir un automóvil.*
>
> Como la mayoría de los adolescentes, pensaba que andar sobre ruedas era casi como tener alas. ¡No veía la hora de poder manejar! Se trataba de un paso importantísimo hacia la independencia. No había nada que se le comparara. Era un ritual por el que no pasaría y me sentía del todo abatida[1].

Estoy bien

Mientras Jennifer luchaba con estos interrogantes, sabía que había otro interrogante, mucho mayor, acerca de ella: ¿Cómo respondería a esta crisis?

Cuando al fin llegaron a la casa y Jennifer traspasó la puerta de entrada, podía hacer varias cosas: correr hacia su dormitorio y echarse a llorar, llamar a una amiga y contarle la terrible noticia, patear enojada contra Dios. En vez de eso, se dirigió hacia la sala y se sentó ante el piano. Jennifer jamás había sido una gran estudiante de piano y solo practicaba para evitar lavar los platos después de la cena. Sin embargo, algo la llevó al piano aquella tarde.

Mientras Jennifer paseaba los dedos sobre el teclado, una canción brotó de su corazón y llegó hasta la punta de sus dedos. La melodía de un antiguo himno, «Estoy bien con mi Dios», parecía surgir de las teclas del piano y quebraba el silencio. Aunque no cantaba la letra en voz alta mientras sus dedos danzaban sobre el teclado, las palabras resonaban en su corazón:

De paz inundada mi senda ya esté,
O cúbrala un mar de aflicción;
Mi suerte cualquiera que sea, diré:
*«Estoy bien, estoy bien con mi Dios»**.

¿Cómo sería posible que estuviera bien el alma de una niña que acababa de enterarse que quedaría ciega? Aunque sea sorprendente, la respuesta a esa pregunta estaba ante ella. En los años previos a este momento de crisis, Dios había estado preparando a Jennifer. Ella había decidido seguir al Señor hasta esos lugares en los que pudiera saturar su espíritu con la Palabra de Dios y con ejemplos y testimonios de fe. Sin saber que llegaría el día en que sería incapaz de leer una Biblia común, Jennifer se había comprometido a memorizar versículos. Y las historias de las mujeres de fe que leyó le dieron el conocimiento y los recursos a los que ahora podía recurrir. Dios había provisto a Jennifer de pasajes, de historias y ejemplos que jamás la abandonarían. Gracias a que fue obediente en su preparación,

---

* «Estoy bien con mi Dios», *Himnos de la Iglesia*, #273, traducido por Pedro Grado. © 1995, Publicadores Lámpara y Luz, Farmington, NM.

Jennifer podía ahora responder de manera genuina a Dios con entera confianza. Aun cuando no estaba bien con sus circunstancias, estaba bien con su Dios.

Un nuevo don

Cuando Jennifer atravesó la puerta de su casa aquella tarde, Dios tenía preparado un nuevo don para ella: el don de poder tocar el piano de oído. Era extraño; Jennifer jamás había considerado la idea de tocar de oído debido a que la música no ocupaba un lugar importante en su vida. No obstante, en la quietud de aquel momento, cuando se sentó ante el teclado abrumada por la emoción, Jennifer comenzó a refugiarse en Cristo y deseó expresar a través de la música toda la ternura y el cariño que sentía por Él.

Aun cuando no estaba bien con sus circunstancias, estaba bien con su Dios.

Jennifer se dio cuenta de que las pocas canciones que había memorizado no eran suficientes, por eso comenzó a tocar una nueva canción, una que jamás había tocado antes. Era la primera vez en su vida que tocaba con las manos lo que sentía en el corazón y lo que escuchaba en su mente. No sabía si Dios le estaba dando un don nuevo o si traía a la luz uno que permanecía latente en su interior. Lo que sí sabía era que, de forma misteriosa, el don de la música nacía en su ser. Mientras sus dedos recorrían el teclado con fluidez, con dinamismo, de manera creativa, Dios colocaba a esta Ester moderna en un nuevo lugar de su destino.

Poco después de su visita al oftalmólogo, Jennifer quedó ciega por completo. Terminó el instituto con la ayuda de familiares y amigos que la apoyaron de diversas maneras. Incluso llegó a enfrentar sus temores para poder asistir a la universidad donde conocería al hombre con el que se casaría. Ahora es madre de dos hijos, ha grabado discos, es oradora y escritora. En su libro: *Lessons I Learned in the Dark*, Jennifer relata cómo fue capaz de sentarse y tocar aquella canción aunque estaba sumida en la tristeza:

Ya han pasado más de veinte años desde que abandoné el hospital de oftalmología con la noticia de que me quedaría ciega. Sin embargo, aun ese mismo día supe que en medio de mi desesperación Dios abriría un camino de promesa con su mano misericordiosa. Era la promesa de que más allá de las circunstancias, mi alma estaría bien. Es por eso que a pesar de que estaba sumida en una profunda tristeza, pude ir a casa, sentarme en el antiguo piano y tocar «Estoy bien con mi Dios»[2].

Formular las preguntas adecuadas

Con los años, Jennifer ha visto obrar Romanos 8:28 en su vida: «Sabemos que Dios dispone todas las cosas para el bien de quienes lo aman, los que han sido llamados de acuerdo con su propósito». Como se mantuvo fiel a Dios y no permitió que la amargura a causa de sus circunstancias opacara su fe, su paz y su gozo, Dios mantuvo la puerta bien abierta a fin de usar su dificultad para animar a numerosas personas.

Como la gente procura comprender el porqué de sus sufrimientos, a menudo le preguntan a Jennifer si entiende por qué Dios le permitió sufrir ceguera. Jennifer me contó que le resulta contraproducente preguntar: «Señor, ¿por qué me haces esto?». Como lo ama y sabe que Él la ama también, Jennifer pregunta: «Señor, ¿por qué permites esto? ¿Qué deseas desarrollar en mí con esto o debido a esto?».

De la misma manera en que Dios usó a los padres de Jennifer y las historias de Corrie ten Boom y Joni Eareckson Tada para prepararla en su entrega a Él y a perseverar en Él, Dios usa también a Jennifer para animar a otros. Jennifer afirma que la prioridad de nuestras vidas, más que la comodidad de nuestras circunstancias, debe ser nuestra íntima relación con el Señor:

Dios desea paz y contentamiento para todos sus hijos y he descubierto que mientras más me deleito en Él, más se vuelve el deseo de mi corazón. Sin dudas, la sanidad sería un premio extraordinario, un verdadero tesoro, y Dios puede dármelo algún día. Sin embargo, saldría perdiendo si estuviera completa en lo físico, pero incompleta en lo espiritual. Sin la paz y el contentamiento, el gozo de la sanidad sería algo fugaz y superficial; pero el poder descansar con satisfacción en Él revela una profundidad de la gracia que continuaré disfrutando dentro de diez millones de años cuando esté en su presencia, en su casa[3].

Jennifer a menudo trata de ayudar a las personas que sufren a que entiendan que Dios nos ama tanto que por lo general nos libera *a través* de nuestras circunstancias, antes que *de* ellas. «A veces Dios nos libera a través del aguijón, en lugar del aguijón. ¿Por qué? Para que su gracia crezca en medio de esa situación. Para que su poder nos sostenga. Y para que aprendamos a andar codo a codo con Él[4].

A menudo, Dios nos libera a través de nuestras circunstancias, antes que de ellas.

Jennifer también señaló que Sadrac, Mesac y Abednego solo hubieran alabado a Dios desde cierta distancia si Él los hubiera salvado de ir al horno de fuego. Sin embargo, experimentaron algo mucho más profundo, mayor, más íntimo y mucho más gratificante cuando Él se les unió y caminó junto a ellos a través del fuego.

Aunque Jennifer jamás ha visto el rostro de su esposo ni los de sus pequeños hijos, son una fuente inagotable de amor, de gozo y de ánimo para ella. Esta Ester moderna nos transmite muchísimas enseñanzas que ha aprendido en la oscuridad. Su música, su mensaje y su vida animan a una enorme cantidad de personas a buscar la presencia de Dios en medio de sus dificultades en vez de apartarse de Él con amargura y con una desesperación que disminuye la fe. Como en el caso de Ester, la respuesta de Jennifer a su momento crítico fue un momento del destino en su vida. Una de las enseñanzas que mejor aprendió resume la historia de su vida que se sigue desarrollando:

Hasta que ocupemos la posición en la que nos ha colocado la gracia de Dios, jamás conoceremos la perfección de su fortaleza ni tampoco lograremos experimentar el gozo de recorrer el camino siguiéndolo a Él[5].

capítulo nueve

Búsqueda del valor en la crisis

melissalibby

Melissa Libby se paró en el estrado y contempló el mar de caras conocidas. No tenía la costumbre de hablar en público, pero como obtuvo las mejores calificaciones durante el instituto, se ganó el derecho de pronunciar un discurso frente a sus compañeros. La ocasión era la fiesta de graduación del instituto de Bend, Oregón, en la promoción de 2003. Era una noche llena de emoción y entusiasmo, típica de esta clase de actividades que se llevan a cabo en el mes de junio en diversas iglesias y auditorios de todo el país.

Sin embargo, esa noche, y los días antes y después de esto, no tuvieron nada de típicos para Melissa. Su mundo acababa de desmoronarse.

Solo tres días antes, la mamá de Melissa murió de cáncer. Entonces ella no daba un simple consejo a sus compañeros, sino que les abría su corazón para mostrarles la sólida fe que la había ayudado a sobrellevar una de las semanas más duras de su vida. Su valor serviría de inapreciable inspiración para sus compañeros y sus familias, ayudando a guiar al menos uno de ellos a entregar su vida a Cristo.

Melissa abrió la Biblia y con voz clara y fuerte leyó un pasaje de las Escrituras:

> «Sé fuerte y valiente, porque tu harás que este pueblo herede la tierra que les prometí a sus antepasados. Sólo te pido que tengas mucho valor y firmeza para obedecer toda la ley que mi siervo Moisés te mandó. No te apartes de ella para nada; sólo así tendrás éxito dondequiera que vayas. ... ¡Sé fuerte y valiente! ¡No tengas miedo ni te desanimes! Porque el SEÑOR tu Dios te acompañará dondequiera que vayas».
>
> JOSUÉ 1:6-7, 9

El auditorio no perdió detalle de la lectura. La mayoría estaba al tanto de la pérdida de Melissa. Muchos quedaron anonadados esa noche al observar el valor, el aplomo y lo que era una verdad arraigada en lo más profundo en el Señor.

Sin duda, Melissa no habría pedido pasar por las circunstancias que la condujeron a esa noche, aunque reconocía que Dios le había dado la extraña oportunidad de testificar de su amor por Él.

La fe de Melissa es silenciosa. No es habladora. Ni es una líder de esas que se plantan y se encargan de la situación. Hace poco me comentó que ni siquiera tiene la audacia de acercarse a alguien y decirle: «¿Conoces a Jesucristo?». No obstante, en los días que siguieron a la muerte de su madre, Melissa tuvo que hablar ante gran cantidad de personas sobre su Salvador, no una, sino tres veces.

En esos momentos críticos, cuando es comprensible que muchos no quieran siquiera que los vean, Melissa, al igual que la reina Ester, halló un valor increíble en el Señor para testificar.

Dios había preparado a esta Ester de nuestros días para una semana como nunca había experimentado: *para un momento como este*.

Cuestiones de familia

Melissa invitó a Jesús a su corazón a los seis años de edad, y desde entonces su fe creció sin cesar. Durante años se pasaba muchas horas en su cuarto orando, leyendo la Biblia y llenando diarios con pensamientos personales sobre Dios y la vida.

Asimismo, el resto de su familia revelaba una fe creciente. El hermano de Melissa también era creyente, el papá trabajaba en una editorial cristiana y su mamá, Laura, enseñaba en la escuela dominical y se ocupó de la educación en casa de Melissa durante toda la escuela primaria.

Los Libby eran una familia muy unida, pero entre Melissa y la mamá la relación era aun más estrecha. A Melissa le encantaba contemplar a su madre con su cabello rubio y brillante, y sus ojos que resplandecían con una luz que parecía decir: «Te amo, mi chiquita». Ambas ocupaban un sitio especial en el corazón de la otra. En ocasiones, cuando las dos pensaban lo mismo al mismo tiempo, se miraban a los ojos y reían.

Sin embargo, una oscura nube descendió sobre la familia Libby el día en que los médicos descubrieron un tumor canceroso en la vesícula biliar de Laura. Le extirparon la vesícula y los médicos comenzaron una serie de tratamientos de quimioterapia. Por último, luego de un año de quimioterapia y análisis de sangre, durante el primer año de Melissa en el instituto, el cáncer entró en remisión.

Sin embargo, los Libby disfrutaron poco la victoria. Solo unos meses después, las pruebas revelaron el regreso del cáncer. Laura atravesó más sesiones de quimioterapia, la cual de nuevo parecía que controlaba la enfermedad.

En la primavera del último año de Melissa en el instituto, no obstante, los Libby recibieron otro golpe. De forma inexplicable, el cáncer de Laura se había diseminado por todo el cuerpo. Con cada día que pasaba, Laura se iba. Lo que debió haber sido un tiempo de celebración y gozo, a Melissa la habían invitado a hablar en el bachillerato y como primer expediente en la ceremonia de graduación, se transformó en un período de hondo pesar.

Como Ester, Melissa jamás podría haberse imaginado la situación en que se vería. Aun así, como Ester también, Melissa halló fortaleza en el Señor. Eso le permitió, en su dolor, derramar todo su amor en su mamá.

«Sentía como si perdiera el corazón», dijo más tarde. «Se iba la única persona que me hacía sentir especial.

»Tenía que darle todo. La besé más veces de lo que puedo recordar. Me agachaba para estar a su altura e inclinaba la cabeza a fin de mirarla a los ojos que estaban entrecerrados hasta que hacíamos contacto visual. Ella ya no hablaba, pero en sus ojos veía ese sitio especial que solo nos pertenecía a nosotras dos. Entonces le susurraba de nuevo: "Te quiero", por si acaso no lo había escuchado las veces anteriores».

¿Hablaría en el bachillerato y tendría el discurso de graduación como primer expediente?

Y entonces, mucho antes de lo pronosticado, partió la amada mamá de Melissa. La mujer que lo había dado todo para criar a Melissa y a su hermano, que les había enseñado acerca del Señor y había orado por ellos desde el día que nacieron ya estaba en la presencia de Dios por toda la eternidad.

Fue el martes 30 de mayo, tres días antes de la graduación. En medio de ese tiempo de pérdida y tristeza imposibles de definir, Melissa tuvo que tomar una decisión: ¿Hablaría en el bachillerato y tendría el discurso de graduación como primer expediente?

Sin coincidencias

Al echar un vistazo a su vida, en especial al último año, Melissa se dio cuenta de que Dios la había estado preparando para este momento. Debido a su fe creciente y en su deseo de ser obediente al Señor, había estado orando por sus amigos nuevos que no eran cristianos a fin de ser un ejemplo para ellos. Melissa dice que el Señor respondió a su oración durante el último año cuando le presentó un grupo nuevo de muchachos y muchachas.

Uno de sus amigos, un joven llamado Eric, acompañó a Melissa y a otros miembros del grupo de jóvenes de la iglesia a un viaje misionero a México que duró una semana a principios de ese año. Mediante el ejemplo de Melissa y sus amigos cristianos, Dios estaba obrando en el corazón de Eric. Melissa se dio cuenta de que hablar en la graduación sería otra oportunidad de permitir que Dios brillara por medio de ella.

«No creo en las coincidencias», me dijo más tarde Melissa. «Sé que Dios quería que yo hablara y que no me echara atrás para esconderme. Él me daba esta oportunidad y no iba a desaprovecharla».

Melissa también sabía que su mamá habría deseado la misma cosa.

«Ella me dio clases en casa, se esforzó mucho en eso y vio mi esfuerzo también», dijo Melissa. «Me ayudó en esa etapa. Así que sé que ese discurso era algo que desearía que hiciera. Era una oportunidad que no dejaría pasar».

Aun con la decisión hecha, Melissa dice que no lo habría hecho si no hubiera sentido el amor de Dios mediante las oraciones y el apoyo de su iglesia. Como Ester, Melissa se apoyó en Dios en el momento de crisis y el Señor se manifestó de una manera asombrosa.

Momentos del destino

El mismo servicio del bachillerato fue muy emotivo. Cuando Melissa terminó de dar su discurso de aliento para sus amigos y compañeros a que buscaran el valor necesario en el Señor, nadie pudo contener las lágrimas.

El más afectado de todos fue Eric, el amigo de Melissa. Durante el servicio esa noche, allí en la iglesia, Eric invitó en silencio a Cristo a entrar en su corazón. El testimonio de Melissa fue determinante, uno con impacto eterno.

Sin embargo, incluso después que Eric aceptó a Jesús, Dios hizo otras obras por medio de Melissa. Justo dos días más tarde, en esa misma iglesia se celebró un servicio en memoria de Laura Libby. Eric fue de nuevo allí, sintiéndose temeroso e inseguro. Aún no estaba convencido de que su nueva fe fuera real.

El papá de Melissa, sabiendo que la joven y su hermano fueron el centro de la vida de Laura de muchas maneras, les preguntó si de alguna forma podían participar en el servicio. Una vez más, Melissa sintió que estaba ante un «momento del destino», que Dios estaba tras la petición de su padre, creando una oportunidad divina.

Con una notable y tranquila presencia, Melissa ofreció un conmovedor tributo a su madre esa mañana.

Melissa oró por eso, escribió sus pensamientos sobre su mamá y luego oró de nuevo para que fuera capaz de leerlos sin quebrantarse.

Lo hizo. Con una notable y tranquila presencia, Melissa ofreció un conmovedor tributo a su madre esa mañana. Relató algunos recuerdos sencillos, como «la manera en que escribía mi nombre, sus besos, su sonrisa fresca, las notitas que hallaba en mis almuerzos», y expresó una fiel descripción de su madre: «Todo lo que tenía que ver con ella era puro, perfecto y bueno».

Luego Melissa finalizó con una sentida lectura bíblica de esperanza y alabanza:

> Tan grande es su amor por los que le temen como alto es el cielo sobre la tierra [...] Alaben al SEÑOR, ustedes sus ángeles, paladines que ejecutan su palabra y obedecen su mandato. Alaben al SEÑOR, todos sus ejércitos, siervos suyos que cumplen su voluntad. Alaben al SEÑOR, todas sus obras en todos los ámbitos de su dominio. ¡Alaba, alma mía, al SEÑOR!
>
> SALMO 103:11, 20-22

No tengo la menor duda de que cada persona en la iglesia ese día se inspiró y animó por la fortaleza y el testimonio de Melissa Libby. A Eric le produjo un impacto que le cambió la vida. Durante el culto, comenzó a llorar. Dios le habló mostrándole que Jesús *era* real y estaba en su corazón. Usó a una valerosa joven para conducir otra alma a su reino.

No echarse atrás

Dios aún no había terminado con Melissa. Ya habían pasado tres días de la graduación y la joven volvió a sentir que el Señor la guiaba para honrar en público no solo la memoria de su madre, sino también al misericordioso Dios al que su mamá sirvió tan bien en vida y al que Melissa seguía sirviendo, amando y obedeciendo.

En los días previos a las devastadoras acusaciones de Ester contra Amán ante el rey Asuero, ella tuvo la oportunidad de renunciar a la peligrosa misión en que se había involucrado. Incluso después de la espontánea visita que hiciera a las habitaciones del rey, Ester podría haberlo recibido en esas dos suntuosas fiestas y dejar el asunto de lado. Tanto el rey como Amán podrían haberse sentido impresionados por la actitud de servicio (y quizá también por sus habilidades culinarias) de Ester y nadie hubiera sospechado nada.

Sin embargo, Dios lo habría sabido. Ester sabía lo que Dios quería que hiciera y la había estado preparando para este momento. No sería sencillo, pero Ester estaba decidida a obedecer la voluntad de Dios para su vida.

Y cientos de años más tarde, Melissa hizo lo mismo.

Casi antes de que Melissa se diera cuenta, llegó la noche del viernes. Más de trescientas personas se reunieron para la ceremonia de graduación, que se celebró en el auditorio del parque de atracciones de la localidad a fin de acomodar a tantas personas. La banda interpretaba «Pompa y Circunstancia» mientras los graduandos con sus birretes y trajes azules entraban en fila. Melissa se sentó en la plataforma junto a otros oradores.

Uno de los directivos dio la bienvenida al enorme grupo de personas. El coro cantó. Algunos alumnos destacados dijeron unas palabras. Al final, le llegó el turno a Melissa.

Se levantó de su asiento y subió al podio. La mayoría sabía lo que había pasado en la semana. Muchos incluso se sorprendieron de verla allí. Se guardó un asombroso silencio en el atestado auditorio.

Melissa habló con voz clara: «Fantástico, no puedo creer que al fin lo lográramos. Parece que pasó muy rápido. Deseo agradecer a todos los profesores aquí presentes. Gracias por servirnos de inspiración y por habernos brindado tanta ayuda. Sin embargo, hay una maestra a la que quiero agradecer de manera especial y que no se encuentra aquí en esta noche. Ella falleció hace una semana. Deseo darle gracias a mi mamá,

Laura Libby, quien me enseñó durante ocho años antes de ingresar a la enseñanza media. Sin ella, yo hoy no estaría aquí...

»Permítanme finalizar con la lectura de la letra de una canción de Cindy Morgan: "How Could I Ask for More?", que resume lo que dije. Quiero invitarlos a cerrar los ojos y a pensar en lo que cada una de estas frases les hace sentir. En esos sentimientos reconozco la voz de mi Dios que me habla de lo maravilloso que es y de su gran amor por mí. Jamás me ha defraudado ni abandonado y por sobre todas las cosas, esta noche deseo darle gracias por eso. Él es mi fortaleza.

Melissa Libby fue la única oradora que recibió una ovación de pie esa noche. Sus palabras, y su valor similar al de Ester, conmovieron una vez más el corazón de todos los asistentes.

Melissa no está segura de a dónde la guiará Dios a continuación. Le encanta trabajar con los niños, en especial con los que no provienen de familias cristianas, y está cursando la carrera de maestra en la universidad. Pase lo que pase, sabe que tiene el valor de seguir la voluntad de Dios para su vida.

«Me he dado cuenta de que una no puede echarse atrás», dice Melissa. «Cuando Dios permite algo en tu vida, no puedes huir ni esconderte. Deseo que la gente conozca la asombrosa vida que Dios ofrece y la esperanza, el gozo y todo con lo que Él puede llenar tu vida».

Dios tampoco quiere que te eches atrás. Le ofrece esperanza y gozo a todo el que toma la decisión audaz de seguirlo. Por supuesto, es posible que sientas temor a veces, pero la fe puede vencer el temor. Cristo te dará el valor, y ese valor se convierte en fe en acción.

capítulo diez

Respuesta al llamado

bethany, kristina y k.j.

Cuando tomé asiento en los estudios desde donde se transmitía el programa *Club 700* me sentí cautivada por la imagen que vi en un televisor de una joven que oraba frente a cientos de miles de personas en Washington D.C. *¿Quién es?*, me pregunté. Esta joven de cabello castaño y con el rostro cubierto de pecas tenía la apariencia de ser del montón; pero oraba con una urgente y casi desesperada pasión. Elevaba una oración a favor de su generación que se había prohibido en las escuelas antes que ella naciera. Oraba para que Dios volviera los corazones de su generación y de nuestra nación hacia Él. Mientras clamaba al Señor, pensé: *Tengo que descubrir quién es esa chica. Hay algo especial en ella y en los otros chicos y chicas que ayunan y oran allí.*

Hablé con mi productor, quien me puso en contacto con uno de los coordinadores de la actividad en el distrito federal. En cuanto describí a esta joven y sus apasionadas oraciones, dijo con certeza: «Ah, esa es Kristina Lotze. Es una excelente chica».

Así fue cómo conocí a Kristina, el movimiento juvenil llamado *The Call* y a un grupo de jóvenes comprometidas de lleno a vivir como Ester de nuestros días. Desde entonces he asistido a los encuentros de *The Call* en todo el país y he visto a miles de jóvenes que se reúnen para orar e interceder por los demás. Una vez tras otra me asombraba ver a estas chicas que clamaban por el poder de Dios. Como Ester, hablan como abogadas por una generación y una nación.

Como Ester, hablan como abogadas por una generación y una nación.

Desde ese primer encuentro en el otoño del año 2000 en Washington D.C., al que asistieron unas cuatrocientas mil personas, *The Call* ha organizado encuentros en todo el mundo: Nueva York, Los Ángeles, Kansas, Inglaterra, Filipinas, Brasil, Corea del Sur, entre otros. Al observar el impulso de esta oleada de encuentros, me convencí de que Dios está poniendo en marcha un nuevo movimiento que es apasionante. Está preparando a jóvenes como tú para un propósito mucho mayor de lo que te puedas imaginar. Desea que tu generación sea tan determinante que estremezca al mundo.

Sucede a través de campañas masivas, sucede en las iglesias, en las escuelas y también en las familias, en cada individuo. Son cada vez más los jóvenes de hoy en día que responden al llamado divino para transformar nuestro decadente modo de vida y para traer un avivamiento espiritual mediante la oración, el ayuno, el arrepentimiento y la alabanza.

Hace muchísimos años, cuando Ester se dio cuenta de que la habían preparado de forma especial «para un momento como este», tuvo el valor de pararse en la brecha por su pueblo y cumplir el propósito de Dios para su vida. Hoy veo cada vez más jóvenes con el mismo valor e idéntica pasión por el Señor y por la gente de su generación. Son chicas que, como Ester, toman la decisión radical de orar, ayunar y distinguirse para Dios.

Conozcamos a tres de ellas.

Con firmeza y claridad

A los diecisiete años de edad, Kristina Lotze sintió que Dios tenía un propósito en mente para su vida. Solo que no sabía cuál era.

Era una excelente estudiante que cursó la enseñanza primaria y secundaria en la casa en poco tiempo. Cuando analizaba su futuro, Kristina pensaba en varios modelos de conducta en su vida que asistieron a un curso intensivo de discipulado de un año llamado *Master's Commission*. Decidió trabajar y ahorrar dinero durante lo que sería su último año del instituto a fin de ingresar a ese curso.

Una vez allí, Kristina comenzó a ahondar en la historia de Ester. Se identificaba con Ester en más de un aspecto. Aunque su padre biológico abandonó a la familia cuando ella era recién nacida, Kristina disfrutó de una maravillosa «relación de Mardoqueo» con su padre adoptivo. También se sentía unida a Ester en que, a pesar de ser adolescente, estuvo dispuesta a salir del lugar seguro y convencional para hablar en nombre de otros.

En varias charlas que tuvo con su papá durante la infancia, él fue sembrando en Kristina el deseo de continuar con el destino piadoso iniciado por las generaciones previas, a fin de ser el siguiente eslabón en el plan del Señor. Dios estaba a punto de tomar el deseo de Kristina, combinarlo con su disposición a expresarse y crear una oportunidad divina. Kristina aún recuerda aquel momento en su hogar de Spokane, Washington, cuando escuchó por primera vez acerca de un encuentro de oración planeado para la capital de la nación.

«Estaba sentada a la mesa de la cocina cuando escuché sobre la actividad y no podía dejar de llorar», dice. «Fue algo así: "Tengo que ir. Tengo que estar allí". Era como si mi supremo sueño se volviera realidad: estar junto a mi generación clamando a Dios por nuestra nación. ¿Qué mejor que eso?»

Conociendo el poder del ayuno y la oración y recordando la decisión de Ester de orar y ayunar tres días antes de presentarse al rey Asuero, Kristina hizo su propio compromiso de orar y ayunar por el favor de Dios en *The Call*. Fue un tiempo gratificante.

«Nunca en mi vida había ayunado mucho», me dijo. «Descubrí que podía escuchar la voz de Dios con mayor claridad. Podía apartar las cosas que me distraían y competían por mi atención. Me sentía como si pusiera mi corazón concentrado en Dios para escucharlo».

Hacia fines de 1999, al enterarse de que sus padres viajarían a una conferencia de la iglesia en Washington D.C., Kristina sintió que Dios la llamaba a acompañarlos. Así lo hizo y conoció al pastor Lou Engle, uno de los organizadores de *The Call*. En abril, Kristina participó en una serie de encuentros juveniles y de oración para *The Call* como invitada del pastor Engle en Spokane. Kristina se entusiasmaba cada vez más con la actividad que se llevaría a cabo en el distrito federal. Aunque ella y muchos otros estuvieron orando por el encuentro de aquel otoño, Dios preparaba a Kristina para un «momento Ester».

Unos meses atrás, Kristina jamás se habría imaginado la posibilidad de estar en una plataforma en la capital del país, orando de todo corazón frente a miles de personas y los televidentes de todo el país. «Apenas era capaz de pararme a dar mi testimonio sin que me quebrantaran las emociones», dice. «Temía hablar delante de la gente. Me daba miedo de lo que la gente pensara de mí».

Dios, sin embargo, estaba preparando el corazón de Kristina.

Poco después de las concentraciones de Spokane, los padres de Kristina recibieron una llamada. Era Lou Engle. Él y su esposa sentían que Dios les había hablado diciéndoles que le pidieran a Kristina que hablara en *The Call*. Antes de que tuviera tiempo de reaccionar, esta dulce y modesta joven de veinte años oriunda del noroeste estaba en la plataforma, rogando a Dios que perdonara a la nación que había roto su pacto, alentando a una generación a que adoptara «una causa y un propósito más allá de ellos mismos» y citando con valentía una oración que el gobierno había quitado de las escuelas públicas en el año 1962:

«Todopoderoso Dios, reconocemos que dependemos de ti y rogamos tu misericordia sobre nosotros, nuestros padres, nuestros maestros y nuestra nación».

Fue un tiempo increíble y una visión de lo que Dios tenía en mente para el futuro de Kristina. Hoy, a los veintitrés años, se halla en otro período de preparación. Está estudiando para obtener un título en política internacional y espera usar su educación para llevar los principios bíblicos a los sistemas políticos, económicos y sociales del futuro.

Kristina lidera además a un grupo de jóvenes de su iglesia y aconseja a quienes vienen tras ella a que respondan al llamado divino. También ha sido de gran ánimo en mi propósito de escribir este libro y darle el mensaje de Ester a esta generación de jóvenes mujeres. Es casi una guerrera de la causa y le estoy agradecida.

«Animaría en verdad a las jóvenes a tener una visión a largo plazo».

Esta es una joven que, como Ester, tiene sus ojos centrados en mucho más que ella misma y sus problemas.

«Animaría en verdad a las jóvenes a tener una visión a largo plazo», dice Kristina. «A no pensar solo en el hoy; pensar en de aquí a cinco años, a diez años, a veinte años, a pensar siempre en el futuro. ¿Dónde quieres estar? ¿Con qué propósito te creó Dios? ¿Qué vas a hacer para llegar a ser esa persona? Ester sirvió a los propósitos divinos para su generación y para toda una nación. Eso es un constante aliento para mí. Quiero ser alguien que sirva al propósito de Dios en mi generación».

Se distingue cada día

Pareciera que Bethany Yeo siempre se sintió diferente en lo espiritual. Incluso desde pequeña sentía el fuerte deseo de buscar a Dios. Recuerda que después que sus padres oraban por ella en la noche, la arropaban y salían del cuarto, ella se bajaba de la cama y se ponía de rodillas para orar diciéndole a Dios que quería estar junto a Él y escuchar su voz.

Bethany estaba en cuarto o quinto grado cuando comenzó a darse cuenta del propósito de Dios para su vida. Miraba un vídeo de *Teen Mania* y escuchaba una canción que hablaba de dar el fuego de Dios al mundo. Fue allí cuando sintió que Dios le hablaba.

«Lo sentí en mi espíritu», me dijo Bethany. «Fue algo así: "¿Qué es esto?". Recuerdo que me motivó a orar. De pronto me di cuenta de que sentía pasión por las misiones y la evangelización».

Durante los años siguientes, la pasión de Bethany por hablar de Dios al mundo siguió creciendo. A los veintiún años ya trabajaba junto a su madre, Marlene, que es pastora asociada de *Grace Ministries International* en Brentwood, New Hampshire. Bethany estaba en una conferencia cuando escuchó a la gente hablar de la idea de un encuentro masivo de jóvenes en la capital de la nación.

«Mi corazón dio un salto», cuenta Bethany. «Dije: "Señor, esta es la respuesta a mis oraciones". Había dedicado los viernes y sábados por la noche a orar y ayunar con el convencimiento de que Dios levantaría un movimiento de base popular para nuestra generación y ahora esto sería el cumplimiento de mi petición».

Bethany se decidió a proseguir en busca del favor divino. Se comprometió a un ayuno de cuarenta días para orar por la actividad que se convertiría en *The Call*. Además, permaneció en comunicación con otros amigos participantes. Al final, llegaron a ser las coordinadoras de *The Call* en New Hampshire, enviando cartas y comunicándose con los organizadores de la concentración.

En una de las reuniones previas a *The Call* realizados en New Hampshire, Bethany, como Kristina, conoció a Lou Engle. Sin embargo, fue cuando Bethany comenzó a orar en el encuentro que en realidad captó la atención del pastor.

Bethany ni siquiera había planeado hablar; pero cuando Lou comenzó a orar por la multitud para que salieran de sus «cuevas de inseguridad» y se sometieran a la voluntad de Dios, Bethany se dio cuenta de que debía ir al micrófono. Las palabras de su oración sonaron con elocuencia y urgencia al clamar que la gloria de Dios cubriera a los de su generación.

«A decir verdad, Lou, que estaba a poca distancia delante de mí, se volvió y me dio la encomienda», dice Bethany. «Me asió y dijo: "¡Necesito que ores en The Call! Necesitamos el fuego en el espíritu que tú tienes". Yo me quedé asombrada por la manera en que Dios lo orquestó todo. Ahora Lou se ha convertido en un padre espiritual para mí».

Aquel septiembre, Bethany se unió a Kristina entre otros en la plataforma de Washington D.C. Oró para que su generación sintiera el incesante amor de Dios, que renaciera en pureza y que se consagrara de todo corazón al Señor.

Experimenté de primera mano el fuego con el que ora Bethany. Me habían pedido que predicara en una conferencia para líderes llamada *The Nazarite Gathering*, en la que su mayoría eran jóvenes que se reunieron en *The Call*. Había escuchado hablar de esta joven con su mensaje de santidad que oraba con pasión como Kristina, pero nunca la había visto en persona.

Si quieres más información sobre The Call, échale un vistazo a www.thecall.com.

Después de mi mensaje sobre Ester (¡mi favorita!) y de retar a las chicas y chicos a vivir con pasión vidas que se distingan para un propósito santo, los jóvenes comenzaron a pasar al frente del santuario, arrodillándose en señal de arrepentimiento y clamando por llevar la bandera de Ester en esta generación. Todos nos dimos cuenta de que esos chicos recibían algo muy poderoso. Le pedí a Lou Engle y a Che Ahn que me consiguieran a una Ester de nuestros días para que orara junto a mí. Una vez más, Lou se dirigió hacia Bethany y la trajo a la plataforma. Me asombró ver que ella de inmediato comenzaba a llorar y a arrepentirse de los pecados de su generación, a la vez que clamaba a Dios por pureza, poder y propósito. Recuerdo que me puse a pensar en mi propia generación, que no tenía esta clase de pasión por Dios a esa edad. Me di cuenta de que estaba ante un acto inspirado por Dios.

Volví a ver a Bethany orando en *The Call* Nueva York en 2002, cuando miles de jóvenes de la costa este se reunieron en un parque de las afueras de Manhattan. Una vez más se congregaban para adorar a Dios y orar por un avivamiento en la ciudad de Nueva York, de donde viene tanto de lo que orienta a nuestra cultura.

Bethany siguió manifestando una obediencia a Dios y su dirección similar a la de Ester. Sigue trabajando con su madre en *Grace Ministries International* y ha orado en varias concentraciones de The Call. También colabora en *International House of Prayer*, una organización sin fines de lucro dedicada a establecer equipos de oración durante las veinticuatro horas en ciudades de todo el mundo. También trabaja para *Haverhill Outreach Practical Evangelism* (HOPE), otra organización sin fines de lucro que suple necesidades prácticas y lleva el evangelio a los desamparados.

Bethany también ha traído a la mente y el corazón un mensaje extraído de la vida de Ester. Lo llama: «Una novia preparada para un Rey». Así como Ester pasó por un proceso de purificación mientras la preparaban para el rey Asuero, Bethany piensa que a la iglesia actual, y su generación en particular, la están preparando como una novia para el Señor, el único y verdadero Rey.

El mensaje de Bethany se centra en la pureza, no solo en la sexual, sino en la pureza de sentimientos y de corazón. Cuando lo expuso hace poco ante setenta y cinco jóvenes que tomaban un curso acerca de la vida de Ester, el efecto fue notable. Casi todas las chicas se levantaron de su asiento y firmaron un pacto de vivir consagradas por completo a Dios como las Ester modernas.

Ahora Bethany está en una nueva etapa de preparación para un futuro que quizá incluya la dedicación a tiempo completo al ministerio. No obstante, sea lo que sea que Dios tenga en mente, su intención es vivir una vida que sea un ejemplo y que abogue por los demás.

«Aun si nunca predicara ante multitudes, aun si nunca tuviera un ministerio público, siento que mi vida es un acto de intercesión a favor de esta generación», dice Bethany. «Pienso que mis decisiones diarias, decidiendo abstenerme de ciertas cosas, incluso escogiendo las disciplinas de la oración, la obediencia, la adoración o la meditación en la Palabra de Dios, son como poner otro clavo en el féretro del enemigo. Cada vez que el enemigo pierde terreno en mi vida, me parece que gano una victoria para una generación».

«Cada vez que el enemigo pierde terreno en mi vida, me parece que gano una victoria para una generación».

De un extremo a otro

A Kjirsten Berglund, mejor conocida como K.J., me la describieron por primera vez como una auténtica «señal y maravilla». K.J. dice que siempre fue una chica de «todo o nada», una persona que va a los extremos. Durante casi toda su infancia, «nada» sería una palabra que describiría cómo se sentía en cuanto a su vida y su fe. Se mudaba a menudo y tenía pocos amigos; estaba desilusionada con la iglesia; estaba deprimida y a veces hasta pensaba en el suicidio.

Entonces llegó el día de San Valentín de 1999, dos días antes de cumplir catorce años. Estaba sentada en el fondo de la iglesia, «desconectada por completo», cuando el líder de adoración comenzó a entonar una canción basada en Cantares 8:6: «Grábame como un sello sobre tu corazón [...] Fuerte es el amor, como la muerte».

De repente, todo cambió.

«Sentí que literalmente arrancaban algo de mi corazón», dice K.J. «Estuve sentada en el piso, gritando, durante cuarenta y cinco minutos. No sé siquiera cómo describirlo. Toda aquella raíz de amargura... se fue. Sentí el amor de Jesús en cada fibra de mi ser».

El Señor tenía un futuro en mente para K.J., uno diferente por completo al camino sombrío que había transitado hasta entonces. En vez de seguir caminando en extrema oscuridad, ahora experimentaba el extremo amor del Señor. Y como Ester, estaba a punto de entrar a un tiempo de preparación.

Llena de asombro por lo que Dios había hecho en su vida, K.J. comenzó a levantarse una hora antes todos los días para pasar un tiempo con Jesús. Luego decidió ayunar cuarenta días y pasar de tres a cinco horas cada día en oración intercesora por los perdidos.

Sin embargo, los emocionantes encuentros celestiales no habían terminado. En la noche previa a su ingreso a noveno año de la escuela pública, K.J. se despertó y escuchó la voz del Señor que le decía: «Dedica este año a conocerme». En obediencia, habló con sus padres y dejó la escuela pública a fin de estar más tiempo con el Señor. De modo que ese año estudió en casa mientras trabajaba en la *International House of Prayer* (IHOP) en Kansas City.

Es más, fiel a su personalidad de ir tras las cosas, K.J. pasaba la mayor parte del día e incluso de las noches en el cuarto de oración de IHOP ya sea colaborando con el programa de asistencia a niños, haciendo su tarea u orando por lo que estaba en su corazón. También comenzó a estudiar el libro de Ester y a pedir en oración de forma específica que el Señor le diera una doble porción del espíritu de Ester.

K.J. también oró en *The Call* Nueva York en el verano de 2002. Era un día sofocante. Allí fue donde al fin la conocí y la entrevisté. La primera vez que la vi estaba en la plataforma, con el rostro inclinado y lloraba mientras intercedía. Ya había hecho los arreglos para encontrarme con ella allí, basada en lo que había escuchado de ella. Al preguntar por la joven, alguien me respondió: «¿Buscas a K.J.? Es esa que está en la plataforma».

K.J. sigue trabajando en la *House of Prayer*, donde con dieciocho años es la intercesora a tiempo completo más joven del equipo. Continúa con su radical compromiso de ayunar y orar en favor de su generación.

«Ayuno porque tengo un corazón enfermo de amor», dice. «Deseo ver una generación que no tema orar en su escuela. Deseo ver un espíritu de intercesión, el espíritu de Ester, que se derrame en esta generación porque sabemos que cuando oramos, Dios se mueve.

»Vemos desesperación en los ojos de muchas personas. Estamos muertos para el Espíritu debido a la televisión, a la inmoralidad y a toda clase de cosas. Sin embargo, Dios está levantando heraldos que enfrentarán a esta generación para ser una llama y una luz brillante en medio de las tinieblas. Deseo ver la liberación de una generación».

The Call sigue

Hace poco, en *The Call* Los Ángeles 2003, me encontré de nuevo con las muchachas. Todo el mundo sabía que iba a ser un poderoso día de oración cuando la cuenca de Los Ángeles se estremeció con un terremoto a las cuatro y media de la mañana. Dios tuvo la atención de todos y estaba listo para estremecer la capital de la pornografía mundial. Se trató de otro día dedicado por completo al ayuno, la alabanza y la oración en el *Rose Bowl* de Pasadena. Me habían pedido que orara de forma específica por un avivamiento en los medios y para que se derramara el llamado de Ester en esta generación.

Para entonces ya conocía bien a estas y a otras jóvenes, a las que considero Ester de nuestros días que surgieron del movimiento *The Call*. Al principio admiraba a estas mujeres por su fe y su deseo de ser determinantes para Dios en este mundo, y ahora no puedo menos que sentirme como hermana mayor de ellas. Al conversar a lo largo del día, me sentí una vez más impresionada por la madurez, el conocimiento de la Palabra y la total entrega a Dios. Uno de los momentos más emotivos fue cuando les pedí que subieran a la plataforma donde nos tomamos de la mano y oramos frente a miles para que las jóvenes dejaran de lado las mentiras de este mundo y se levantaran como Ester de la actualidad. Los gritos y la ovación de apoyo eran ensordecedores mientras un mar de chicas y jóvenes respondían al llamado desde todo el estadio.

¡Es hora de sumarse!

Ahora que has leído las historias de Kristina, Bethany y K.J. espero que te sientas tan entusiasmada como yo. Estas tres jóvenes son solo la punta del iceberg. Justo en medio de una cultura caracterizada por la decadencia, la inmoralidad y la apatía, Dios está en plena actividad, preparando a un grupo de chicas para que se presenten ante Él, estableciendo un camino que permitirá que su gloria se manifieste.

Ester era una joven con un corazón consagrado a Dios. Cuando el Señor le brindó oportunidades especiales, junto con responsabilidades inesperadas, Ester no dio las espaldas a su Padre celestial, sino que ayunó y oró para buscar los propósitos divinos. Así descubrió que Dios la había estado preparando para un momento como ese.

Ester ya era una mujer de pureza y carácter. Cuando llegó el momento divino, Ester desplegó las cualidades que Dios plantó en su corazón: obediencia, valor, sabiduría. Como resultado, se salvó toda una nación y Ester cumplió con el destino que Dios le dio.

Hoy en día, cada vez más jóvenes deciden seguir el destino que Dios les dio. Como Kristina, hallan el valor para predicar y orar por una causa y un propósito que va más allá de ellas. Como Bethany, todos los días toman decisiones piadosas que son victorias y actos de intercesión para su generación. Como K.J., entregan todo y se comprometen a una vida dedicada por completo al ayuno y la oración para traer esperanza y luz al mundo.

Justo en medio de una cultura caracterizada por la decadencia, la inmoralidad y la apatía, Dios está en plena actividad.

Dios tiene un plan, un destino, para ti también. Te está preparando para un propósito que solo *tú* puedes cumplir. Tienes un lugar que ocupar para continuar con el esfuerzo de las generaciones pasadas y forjar la historia. Dios te llama a que seas una Ester moderna a fin de que te distingas *para un momento como este*.

Estas chicas y jóvenes de la generación Ester esperan por ti. ¿Te unirás a ellas?

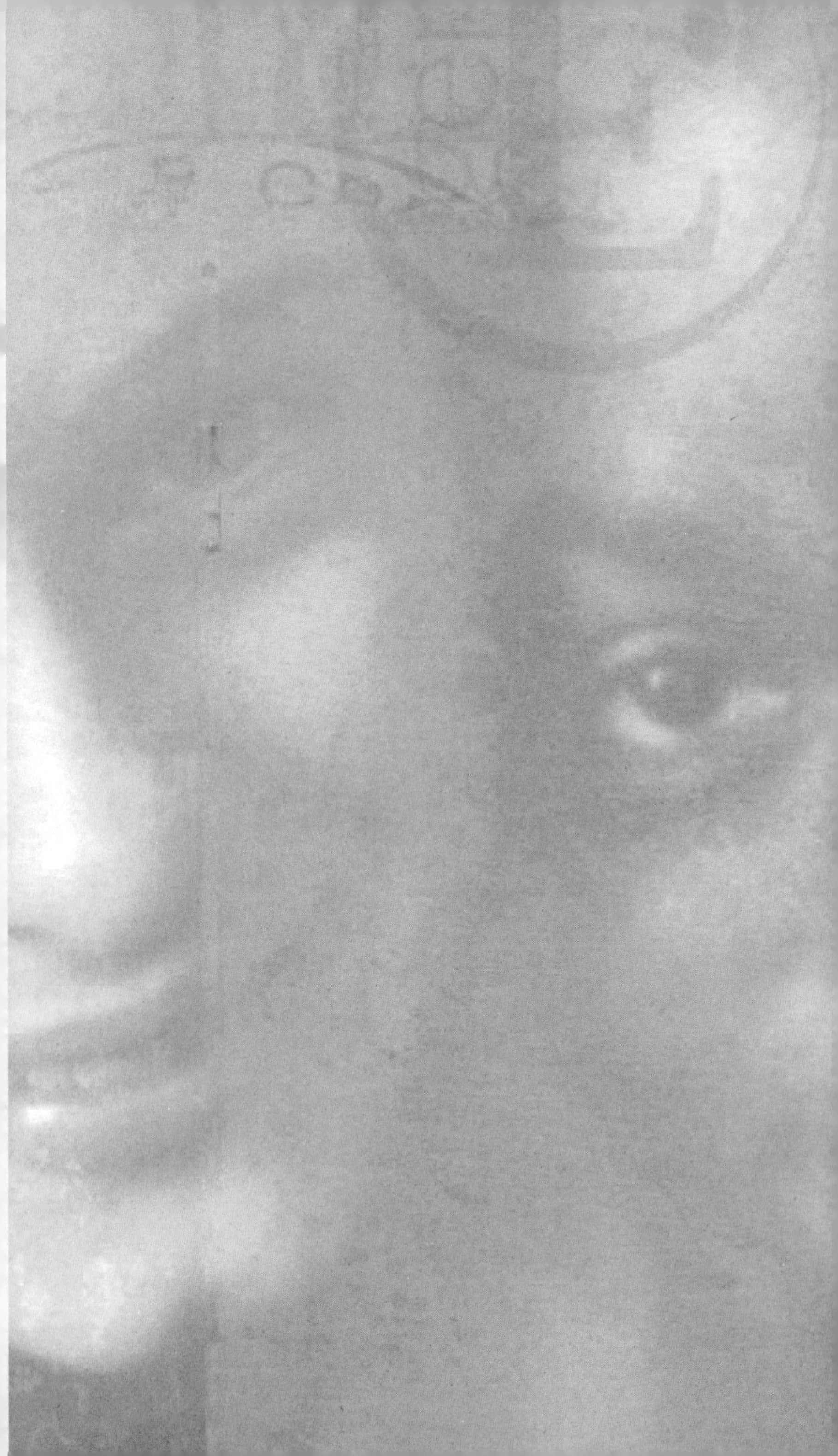

Epílogo

Una Ester como tú

lisaryan

Al ver lo que Dios ha hecho en la vida de otras personas, como de las que leíste, puede ser la inspiración, y el punto fundamental, para que digamos: «Señor, si fuiste capaz de hacer eso en su vida, ¿qué harías en la mía? ¿Tienes en verdad un plan y un propósito para mi vida para el que debo prepararme?».

Olvídate de los «reality shows». Estas valerosas historias que te conté *son* la realidad y son solo un puñado de las Ester modernas de la vida real que viven cada día por todas partes. Sigo conociendo extraordinarias jóvenes con asombrosas historias, en conferencias de chicas y jóvenes, a través de correos electrónicos, por su reputación y por citas divinas.

Una Ester en China

Como Huan de China, quien me envió un correo electrónico para relatar su experiencia Ester. Aunque el gobierno de China «permite» que las personas tengan su propia fe, aún existe la represión religiosa. Huan se convirtió al cristianismo cuando asistía a la universidad, pero le era difícil estudiar su recién descubierta fe en los dormitorios. En China es obligatorio que haya seis personas por cuarto, lo que en ocasiones hace que sea tan ruidoso que incluso se le dificultaba estudiar o dormir. Las demás chicas conversaban, jugaban a las cartas y se quedaban despiertas hasta tarde.

«Casi me vuelvo loca», me contó Huan. «Lo que es peor, no contaba con tiempo a solas para leer la Biblia, ni orar, ni adorar. Ansiaba poder estar a solas con el Señor y clamaba y le pedía que me ayudara a dejar el albergue por un tiempo hasta que lograra fortalecer mi fe. Pude escuchar sus palabras de aliento al decirme que me llevaría a un lugar tranquilo, separado de los demás.

En verdad, eso era algo imposible ya que los únicos cuartos disponibles eran para los graduados y ella estaba estudiando. También estaba prohibido vivir fuera de los dormitorios. Huan dio un paso de fe y preguntó por la posibilidad de contar con un cuarto privado. Le recordaron que estaba en contra del reglamento.

Así que te imaginarás su asombro cuando a los dos días el administrador de los dormitorios se acercó para decirle que había un cuarto privado disponible y que podría usarlo por el resto del semestre. «Estaba tan contenta que casi caigo de rodillas allí mismo», dijo Huan. «Lo que es imposible para los hombres es algo muy sencillo para Dios».

El cuarto estaba limpio y era tranquilo y tenía una preciosa vista al mar. Lo mejor de todo era que Huan podía leer la Biblia y orar con entera libertad todas las noches. Justo en esos días, alguien le regaló un ejemplar del libro *Para un momento como este*. Mientras devoraba el libro, se conmovió al descubrir que Dios apartó también a Ester en su propio cuarto durante su tiempo de preparación. Huan se sintió como si fuera la Ester de Dios en China y valoró muchísimo este tiempo y lugar tan especial que le proveyó Dios.

Huan ha fortalecido su fe y les habla con valor de su amor por Dios a los demás en el campus, en un país que todavía opone resistencia al cristianismo.

Una Ester en el campus

Lizi Beth tiene otra historia de decisiones y valor. Era su primer día en el instituto y estaba abrumada. Se sentía perdida en medio de miles de estudiantes. No tenía a nadie de su escuela anterior en las clases ni en los recesos. Aquel primer día llegó llorando a su casa y le rogó a su mamá que la cambiara al instituto cristiano de su iglesia que era más pequeño y donde se sentiría en un medio más seguro. La mamá de Lizi dudó un poco porque esta escuela privada quedaba a veinte minutos más de viaje y un gasto que no tenían planificado.

«Mi mamá lo pensó un momento, y luego, por ser tan fabulosa como madre, accedió siempre y cuando permaneciera allí hasta terminar. Fue un grandísimo alivio».

Al día siguiente fueron a inscribir a Lizi en la escuela cristiana. Para su sorpresa, mientras avanzaba por los pasillos para recoger sus libros, el Señor comenzó a hablarle. «Dios me decía que aun cuando esta era una escuela excelente, no era el lugar en el que quería que estuviera porque Él quería que fuera a la otra escuela enorme que yo detestaba porque tenía un plan para mí. No tenía idea de qué se trataba».

Dios tiene en marcha un «propósito para las chicas».
La pregunta es: ¿Eres parte de él?

Claro, habría sido mucho más fácil ir a la pequeña escuela privada donde conocía a todo el mundo y donde no tendría mayores presiones de sus pares, pero por alguna razón Dios quería que Lizi asistiera a la escuela pública para ser una luz en la oscuridad. Lizi y su mamá acordaron que si al cabo de un semestre seguía sintiéndose mal podría cambiarse.

A principios del otoño, en la iglesia de Lizi celebraron el día del amigo. Así que Lizi se animó a invitar a un grupo de chicos de la escuela, aunque en realidad no esperaba que asistieran. «En todo ese tiempo seguía odiando la escuela», dijo Lizi, «y entonces sucedió algo espectacular». Para sorpresa de Lizi, ocho compañeros que apenas conocía se aparecieron en la iglesia. Lo mejor de todo fue que una de las chicas recibió la salvación ese día. La mayoría de esos chicos y muchos más asisten ahora a la iglesia con Lizi cada semana.

«Fue algo muy asombroso», dijo Lizi. «Ni siquiera puedo explicarlo. Dios tenía una razón por la que Él quería que me quedara en ese instituto. Ahora me encanta y sigo llevando a chicos a la iglesia».

A través de su obediencia, Dios le dio su favor a Lizi y la colocó en un lugar desde el que logra alcanzar con gran valentía a su mundo, a su escuela y a su grupo de compañeros con el amor de Dios. Solo ponte a pensar... ¿dónde estarían ahora todos esos chicos si ella no hubiera estado allí, para un momento como ese?

Una chica Brío

Stephanie Acosta Inks es otra joven digna de admiración. La conocí en un Seminario de *BABES* [sigla en inglés de Hermosa, Aceptada, Bendecida y de Importancia Eterna] en California. Finalista de «la chica del año 1999» de la revista *Brío*, Stephanie es una impactante joven hispana que llama la atención por su compostura y madurez. Similar a la manera en que la belleza interior de Ester atraía a los demás. Stephanie y yo fuimos oradoras de la actividad de *BABES*. Al observar a esta expresiva muchacha de veintitantos años que cautivaba a la audiencia de pares con un mensaje transparente sobre las elecciones y los desafíos que enfrenta esta generación así como la necesidad de vivir una vida con propósito, pensé: *Esta no es ni más ni menos que una Ester moderna*.

Stephanie conoció al Señor como su Salvador cuando tenía cinco años. Recuerda que a los siete años colaboraba con su madre en organizaciones de servicio y voluntariado para ayudar a los más pobres de la comunidad. Observando la dulzura y la amabilidad de su madre hacia esas personas fomentó en Stephanie la compasión y le dio una carga por los oprimidos que sigue teniendo. Aunque era muy pequeña, ya era consciente del propósito de Dios para su vida.

Este propósito y esta pasión la acompañaron durante la adolescencia. No solo honraba al Señor en sus estudios, lo que le permitió contar con varias becas cuando se graduó, sino que también inició organizaciones de ayuda en cada localidad a la que se mudaba su familia. Mientras otras jóvenes paseaban por los centros comerciales o iban al cine, Stephanie se dedicaba a alimentar a los pobres y a dar amor a los huérfanos. Cuando Stephanie tenía trece años de edad, la madre albergó a dos niños que habían estado bajo el cuidado de su abuela. La amorosa familia de Stephanie acogieron tanto los niños como la abuela, pues tomaba muy en serio los siguientes versículos:

> La religión pura y sin mancha delante de Dios nuestro Padre es esta: atender a los huérfanos y a las viudas en sus aflicciones.
>
> SANTIAGO 1:27

> Dios da un hogar a los desamparados.
>
> SALMO 68:6

Como hermana sustituta, Stephanie reconoció que este era el principio de su labor como consejera y defensora de los huérfanos.

Graduada del instituto con los mejores promedios, Stephanie ingresó a la universidad de Hillsdale y a Oxford con becas completas. Fue allí donde en verdad el corazón de esta joven defensora emprendió vuelo. Era la primera vez que estaba lejos de familiares y amigos. La soledad se hizo sentir. Así que, como era su costumbre, buscó un sitio en el que pudiera servir como voluntaria y así conocer mejor a su nueva comunidad. Un programa de consejería sin fines de lucro de Hillsdale estaba a punto de cerrar debido a la falta de interés y de fondos. Le pidieron a Stephanie que intentara darle vida de nuevo. Le aterraba la idea y sabía que era demasiado para ella, pero enseguida recordó que no era demasiado para Dios. La aconsejaron con sabias palabras que le dieron el valor para encargarse de tan noble tarea: «Dios no llama a los que están preparados, sino que prepara a los llamados».

Lo único que tenía que hacer era obedecer.

Con solo diecinueve años, Stephanie se encargó del trabajo... es decir, *un trabajo voluntario*. Al poco tiempo, el programa de consejería personal pasó de tener una sola empleada que trabajaba desde su cuarto a ser una auténtica oficina con un equipo de diez integrantes. Stephanie conduce la organización como si se tratara de un negocio: recolecta fondos mediante charlas y dirige el equipo de trabajo. Y todo eso lo hace mientras mantiene un excelente promedio en sus estudios y enseña en una clase de la Escuela Dominical.

Si conocieras a Stephanie, te darías cuenta de inmediato que es muy humilde y amable, pero que su energía y pasión son muy convincentes. Su tesis se basó en la «obligación bíblica de ocuparse de los huérfanos». Esto ha pasado a ser la declaración de la misión para su vida.

Stephanie se graduó de la universidad en mayo de 2003, con más logros y méritos que cualquier otra joven que haya conocido. Méritos como el de hacer las prácticas en el equipo de prueba de la CNN y en el ministerio de trabajo de Estados Unidos, en Washington D.C. No obstante, de lo que Stephanie se siente más orgullosa es del privilegio de ser parte de la obra de Dios en el grupo de consejería personal.

Stephanie se encaminó hacia el próximo paso en su preparación. Es un tiempo de quietud y de apartarse para esperar la dirección de Dios... y esto la está volviendo loca. Creáme, usted no ha escuchado lo último de Stephanie Acosta Inks. Ella es una verdadera Ester moderna para un tiempo como este.

Y EL DESTINO CONTINÚA...

Y la lista sigue y sigue. ¡Así que anímate! Si has elegido vivir una vida innovadora, entregada a los propósitos divinos, no estás sola. Eres parte de un movimiento sobrenatural de jóvenes que una a una se levantan, haciéndose oír y estableciendo un ejemplo de vida. Ese modelo que encarnan contrasta con la imagen de la chica sexy y egoísta que acepta esta cultura.

Dios tiene en marcha un «propósito para las chicas». La pregunta es: ¿Eres parte de él?

Si te has sentido inspirada por las vidas de quienes figuran en este libro y deseas saber más acerca de Ester, una chica común y corriente en manos de un Dios extraordinario, y sobre cómo puedes llegar a ser una Ester moderna, consigue un ejemplar de *Para un momento como este* con la guía de estudio. Hay poder cuando son varias, por eso procura reunirte con algunas amigas y hagan el estudio juntas.

Si ya leíste el libro que menciono, te comprometiste a ser parte de esta hermandad de Gen-E y ya experimentas tus propios momentos Ester como el de esas muchachas, envíame un correo electrónico a:

Genaración E
lisa@generationesther.com

Me encantaría conocer tu historia Ester y quizá contársela a otras muchachas en mi página Web: www.generationesther.com. Chicas, mantengan la fe. Levántense y avancen... *para un momento como este.*

Lisa

A la editorial y la autora les encantaría escuchar tus comentarios sobre este libro. Por favor, escríbenos a:
www.editorialunilit.com
www.multnomah.net/lisaryan

Admiración

Me gustaría dedicar también este libro a las chicas de *Mercy Ministries* que enfrentan con valor los tremendos desafíos que se han presentado en sus jóvenes vidas: embarazos no deseados, adicción a las drogas y al alcohol, trastornos emocionales y alimenticios. Estas muchachas optaron por enfrentar sus temores y las mentiras del enemigo. Todos los días, Dios las redime de nuevo y cambia sus crisis en vidas con un destino y un propósito. Siento profunda admiración por el valor que demuestran.

Si eres una joven que pasa por una crisis o deseas apoyar a un ministerio que ofrece verdadera esperanza a las jóvenes, comunícate con:

Mercy Ministries
P.O. Box 111060
Nashville, TN 37222-1060
1-800-922-9131
(615) 831-6987
www.mercyministries.com

El diezmo de este y otros libros de Lisa Ryan se destina a apoyar la obra sacrificial de *Mercy Ministries*, tanto a su fundadora, Nancy Alcorn, como a todo el equipo, por su compromiso sin límites a creer que Dios puede salvar a las chicas que el mundo ha abandonado.

Notas

Capítulo 2

1. El Instituto Alan Guttmacher, «Incidencia de abortos», tabla 1: Cantidad de abortos informados, tasa de abortos y porcentaje de abortos, Estados Unidos, 1975-1996, www.age-usa.org/pubs/journals/3026398.html (se accedió el 4 de febrero de 2003). Los datos más recientes de Guttmacher sobre las estadísticas reales de abortos son de 1996. Por lo tanto, la estadística de cuarenta y dos millones de abortos se basa en la información disponible y en la extrapolación de la tendencia entre 1997-2000, que es de alrededor de un millón de abortos al año. Este análisis de la tendencia se tomó de Family News del Dr. James Dobson, enero de 2003, Enfoque a la Familia, Colorado Springs, CO 80995, revista 1.

Capítulo 3

1. Deanna Broxton, «The Top Five Women in Christian Music», *Christian Music Planet*, septiembre/octubre 2002, p. 9.
2. *Ibíd.*
3. Rebecca St. James, *Wait for Me*, Thomas Nelson, Nashville, TN, 2002, p. xi.
4. Richard Vara, «The Voice for the Abstinence Message», servicio de noticias del *New York Times*, 30 de noviembre de 2002.
5. Joshua Harris, *Él y Ella*, Editorial Unilit, 2002, p. 31 (del original en inglés).
6. St. James, *Wait for Me*, p. 48.
7. *Ibíd.*, p. 37.
8. *Ibíd.*, p. 38.

Capítulo 5

1. Lisa Bevere, *Kissed the Girls and Made Them Cry*, Thomas Nelson, Nashville, TN, 2002, p. 97.

Capítulo 6

1. Dayna Curry y Heather Mercer, *Prisioners of Hope*, Doubleday, Nueva York, 2002; y WaterBrook, Colorado Springs, CO, 2002, p. 179.
2. *Ibíd.*, p. 214.
3. *Ibíd.*, p. 215.
4. *Ibíd.*, p. 227.
5. *Ibíd.*, p. 259.
6. *Ibíd.*, contracubierta.
7. Ibíd., p. 18.
8. *Ibíd.*, p. 21.

Capítulo 8

1. Jennifer Rothschild, *Lessons I Learned in the Dark*, Multnomah, Sisters, OR, 2002, p. 19.
2. *Ibíd.*, p. 211.
3. *Ibíd.*, p. 202.
4. *Ibíd.*, p. 158.
5. *Ibíd.*, p. 161.

DESCUBRE CÓMO SER UNA PRINCESA DE LA CORTE DE DIOS

Hoy en día a las mujeres las bombardean mensajes contrarios a la vida cristiana. Necesitan tener una visión clara a fin de andar como «princesas en la corte de Dios». *Para un momento como este* de Lisa Ryan, copresentadora del programa *Club 700*, ayuda a que las jóvenes descubran su don y destino exclusivo. Basado en el ejemplo bíblico de Ester, así como en los modelos de la actualidad, brinda lecciones de la talla de una gema sobre la pureza, el valor, la identidad y el destino. *Para un momento como este* transformará a las jóvenes lectoras en maduras mujeres de Dios.